Hilmar Hoffmann

Die großen Frankfurter

Ehrenwürdige Bürger und Ehrenbürger

Von Karl dem Großen bis Friedrich von Metzler

SOCIETÄTSVERLAG

2., durchgesehene Auflage 2005

Satz: Fotosatz Janß, Pfungstadt
Druck und Verarbeitung: freiburger graphische betriebe
Schutzumschlaggestaltung: Jutta Schneider, Frankfurt,
Heike Stark, Frankfurt
Printed in Germany
ISBN 3-7379-0928-7

Inhaltsverzeichnis

Die Tat ist alles, nichts der Ruhm
(Goethe, Faust II)

Vorwort

Am Anfang war das Wort: francono furt. Die Inkunabel verdankt Frankfurt keinem Geringeren als Karl dem Großen. Während sein Name fortbestehen wird in alle Ewigkeit, wurden in unserer geschichtsvergessenen Zeit andere große Frankfurter Namen aus der Erinnerung längst ausgeblendet. Allein die in den offiziellen Stadtannalen als Ehrenbürger nobilitierten 26 Persönlichkeiten stehen auf der sicheren Seite der schriftlich überlieferten Erinnerung. Aber wer erinnert sich an jene Myriaden Persönlichkeiten, die aus ihrem beruflichen und gesellschaftlichen Umfeld weit herausragten und deren kritischer Masse Frankfurt die ruhmreiche Geschichte seiner permanenten Evolution verdankt: Den äonenweiten Weg von der Siedlung am Main zur Zeit Karls des Großen entlang den leuchtenden Wegmarken großer wirtschaftlicher und geistiger Prosperität bis hin zur Entwicklung dessen, was Petra Roth zur „kleinsten Metropole der Welt" stilisierte – kein Ort mit hinderlichen Traditionen einer Residenzstadtmentalität, sondern mit dem tradierten Selbstbewußtsein einer Freien Reichsstadt.

Das vorliegende Buch möchte mit den Biographien bedeutender Frankfurter ein Gedächtnis konstituieren, nicht nur aus schuldigem Respekt vor ihren je individuellen Lebensleistungen und aus geschuldeter Dankbarkeit, sondern um den heutigen Bürgern ein Bewußtsein der verzweigten Wurzeln ihrer historischen Identität zu vermitteln. Nicht wenige Protagonisten ihrer jeweiligen Zeit gehörten eindeutig in die Kategorie der „Ehrenbürger". Geschichte ist nach Carlyles Worten die „Essenz zeitloser Biographien".

Es sind aber nicht nur „Männer, die Geschichte machen", wie jene Demokraten im Paulskirchen-Parlament: Ludwig Uhland, Ernst Moritz Arndt, Robert Blum, Turnvater Jahn oder Heinrich von Gagern.

Keine einzige Politikerin war unter den Abgeordneten. Die am Persönlichkeitsideal der europäischen Aufklärung orientierte Frauenemanzipation ist erst im Übergang vom 18. zum 19. Jahrhundert in die nur allmählich sich öffnenden politischen Aktionsfelder, in gesellschaftliche Sphären und akademische Ehren vorgedrungen.

Im Frankfurt dieser geschichtlichen Phase ergab sich keine mit den Rothschilds oder den Metzlers, mit Otto Hahn oder Paul Ehrlich, mit Schopenhauer oder Humperdinck vergleichbare Rangliste historisch bedeutsamer Frauen. „Was aber bleibet, stiften die Dichter" – das waren in Frankfurt Hölderlin und Goethe, aber keine Frauen. Berühmte Schriftstellerinnen vom Range einer Annette Kolb, Annette von Droste-Hülshoff, Gertrud von LeFort, Anna Seghers oder Ricarda Huch haben ihre Bücher andernorts geschrieben. Jene produktiven und kreativen Frauen, die nach dem Zweiten Weltkrieg Frankfurt entscheidend mitgeprägt haben, lassen uns den in seiner Wirkungssumme sichtbar gewordenen potentiellen Verlust von ehedem erst in der Reflexion jener vormaligen Zeit wirklich ermessen, auch wenn es schwer sein wird, die Vergangenheit nach heutigen Maßstäben zu beurteilen.

Mit Porträts gewürdigt werden sollen im Buch jene ehrenwürdigen Bürger, die nicht offiziell zu Frankfurts geistiger und moralischer Elite zählen. Deren aus der Fülle der angehäuften Daten zwangsläufig nur zu einer knappen Biographie geronnene Lebensbahnen sollen aber sehr viel mehr über sie preisgeben als das, was Heidegger einmal unter dem Begriff Lapidarbiographie ironisierte: „Aristoteles wurde geboren, lebte und starb."

Die Zahl 26 der hier porträtierten großen Namen korrespondiert mit der Zahl unserer 26 Ehrenbürger. Diese rein numerische Analogie dient gleichzeitig als Erklärung dafür, warum viele derer, die der Leser vielleicht vermißt, zu Unrecht dabei unerwähnt geblieben sind. Die Liste der außergewöhnlichen Menschen, denen die Stadt ihren historischen Aufstieg, ihren Rang und auch ihren emotionalen Mehrwert verdankt, endet mit der ersten Hälfte des 20. Jahrhunderts. Sie schließt bewußt alle heute lebenden aus, obwohl deren manche unbedingt in diesen rühmenden Kontext gehörten oder – wie einige Glanzlichter besonders unter den schöpferischen Berufen – schon auf dem steilen Wege in den Olymp voranschreiten. In Frankfurts Breitengraden der Wissenschaft und der Finanzwelt, der Politik und der Kultur wirken heute viele Persönlichkeiten, die eines fernen Tages in die Annalen der Stadthistorie oder in das Pantheon der Dichter und der Künstler eingehen werden. Denn „durch was sonst", fragt Friedrich Schiller, „ist ein Staat groß und ehrwürdig, als durch die Kräfte seiner Individuen". Und wer weiß, vielleicht wird ja auch dem einen oder der anderen unter den von Nietzsche verächtlich sogenannten „letzten Menschen" einmal die große Stunde schlagen wie schon häufiger mit Bravour in der Politik und im sportlichen Wettkampf.

In einem Buch über Frankfurts geistige Größen und Werteliten, über gewählte Funktions- und Leistungseliten haben die Träger der Goethe-Plakette und der Ehren-Plakette so selbstverständlich ihren ehrenwürdigen Platz wie der Gotha jener Nobelpreisträger, deren Forschung und Lehre mit Frankfurts wissenschaftlichen Instituten oder der Goethe-Universität eng verknüpft sind. Wer das kleinste gemeinsame Vielfache aus den Curriculae extrahierte, fände in der Summe die Antwort auf die Frage, was denn an Frankfurt das Besondere sei.

Viele der seit der zweiten Hälfte des letzten Säkulums herausragenden Frankfurter Köpfe blieben mit Einzelporträts auch deshalb unberücksichtigt, weil der Abstand zum Status quo ihrer Lebensleistung in Relation zu ihresgleichen noch zu kurz ist, um ein abschließendes Urteil zu bilden, das auch in hundert Jahren noch Bestand hätte. Nehmen wir ein Beispiel pars pro toto: Wer wagte zu entscheiden, welcher der großen Frankfurter Dirigenten Georg Solti, Christoph von Dohnányi oder Michael Gielen verdiente, ins Walhall der europäischen Musikgeschichte einzuziehen? Alle drei haben uns viele unverwechselbare Augenblicke geschenkt. Bei solchen Bewertungen von Größe ist auch der beschleunigte Elitenwandel in der gesellschaftlichen Modernisierung in Rechnung zu stellen.

Die brodelnde urbane Atmosphäre Frankfurts wird nicht nur von den Künstlern und Schriftstellern, den Verlegern und Kulturmanagern, den Intellektuellen vieler Facetten und den Professoren aller Disziplinen erzeugt, sondern auch durch die kritische Masse von

40 000 Studenten, die 1968 das Klima der Stadt ganz schön erhitzten. Sie alle prägen Frankfurts geistige Physiognomie. Im europäischen Zentrum der Kreditwirtschaft sind es auch die Banker und die Kaufleute, die Notare und die vielen Dienstleister, die die Atmosphäre der Stadt konstituieren helfen. Mit dreißig Prozent ausländischen Mitbürgern Schmelztiegel der Kulturen, ist es in Frankfurt diese einmalige produktive Mischung, die das Leben hier so inspirierend unruhig und so prickelnd spannend macht und jene Erwartungen mit zündenden Energien auflädt, als entschiede sich hier die Zukunft der Republik. Daß nicht alle kommunalen Politiker ganz auf dieser Höhe sind, um aus den Inspirationen und Ideen eine Vision zu destillieren, die uns des lebenswerten Lebens versicherte, erklärt das Dilemma der Perspektivenlosigkeit in der Stadt der großen Philosophen und der Suhrkamp-Kultur, die Frank Schirrmacher zum Zentrum der geistigen Republik ausrief.

Die Auswahl der 26 ehrenbürgerwürdigen Bürger ist nicht minder subjektiv als die hundert Romane in Marcel Reich-Ranickis Literatur-Kanon. Die Legion der Eintagsfliegen hat jedenfalls kaum Spuren hinterlassen. Nichts charakterisiert unsere Liste mehr als der Umstand, daß sie sich in ihrer Gesamtheit eben nicht charakterisieren läßt. Eine Elite-Liste für die andere Goethe-Stadt, für Weimar, wäre insofern leichter zu begründen, als die erinnerungswürdigen Schriftsteller, Philosophen und Komponisten in der zeitlich begrenzten Blütezeit der deutschen Klassik dort versammelt waren, während vor und nach dieser Hochblüte kaum mehr viele heroische Namen auftauchten, die Aufmerksamkeit erheischten. Für Weimar lassen sich die intellektuellen Indikatoren an beiden Händen abzählen, um daran die inspirative Aura der Stadt der Klassik zu vermessen, während man für Frankfurt tausend Hände und mehr dazu brauchte.

Schwieriger ist die Frage zu beantworten, ob Mitglieder des Magistrats als Ehrenbürger in Betracht gezogen werden dürften, da sie doch just dafür aus Steuergeldern ihr Gehalt empfangen, für die Stadt Frankfurt ihre schuldige Pflicht zu tun und sich vielleicht darüber hinaus noch pflichtergänzende Küren einfallen zu lassen. Allein Miquel und Adickes sind Ehrenbürger geworden, die als nicht minder berühmt apostrophierten Oberbürgermeister Ludwig Landmann und Walter Kolb oder ein überdurchschnittlich ideenreicher Baustadtrat wie Ernst May aber nicht. Einer der Gründe dafür dürfte sein, daß die Ehrenbürgerwürde für den einen hoch aufs Podest gestellten Magistratler zugleich alle Vorgänger und Nachfolger herabwürdigte. Man bedenke: Allein nach 1945 gab es in Frankfurt dreizehn Oberbürgermeister von allerdings höchst unterschiedlichem Kaliber, von denen etwa die Hälfte noch quicklebendig unter uns weilt. Um diese heikle Frage ein für alle Mal zu klären, müßte sie in einem entsprechenden Ehrenbürgerstatut plausibel beantwortet werden. Im Kern frankfurtwürdige Oberbürgermeister und Dezernenten werden aber wohl auch ohne Aussicht auf urkundlich verbriefte Unsterblichkeit mehr als nur das Pensum eines Zwölfstundentages absolvieren. Auf einen entsprechenden Amtseid sind sie bei Dienstantritt schließlich verpflichtet worden; Magistratsmitgliedern, die ihre Chancen verschlafen, droht die Nichtwiederwahl oder, ehrenrühriger, die vorzeitige Abwahl als gerechte Ahndung.

Ähnlichen Argumenten der Unvereinbarkeit von Amt und Ehrung verdankt sich auch die neuerliche Praxis, Magistratsmitglieder nicht mit städtischen Orden zu verwöhnen oder sie mit Lorbeer zu bekränzen, schon damit sie sich darauf nicht ausruhen. In den letzten fünfzehn Jahren sind dann auch keine Goethe- oder Ehren-Plaketten mehr an hauptamtliche Stadträte verliehen worden. Wer sich wirklich verdient gemacht hat, dem winken das Bundesverdienstkreuz oder der Hessische Verdienstorden, oder sie können auf adäquate Preise hoffen, wenn ihre außerkommunalen Verdienste oder solche in vormaligen oder nachfolgenden Berufen zu ehren geeignet scheinen: „Die Ehre ist, objektiv, die Meinung anderer von unserem Wert und, subjektiv, unsere Furcht vor dieser Meinung“, urteilt der große Frankfurter Philosoph Arthur Schopenhauer, der zum Beispiel kein Ehrenbürger dieser Stadt geworden ist!

Ohne die objektive Lebensleistung immer voll auszuschöpfen und widerzuspiegeln, setzen die hier auf wenige markante Momente zusammengeschnurrten Lebensläufe aus der Perspektive des Autors subjektive Akzente, die in den konkreten Kontext der historischen

Biographie der Stadt Frankfurt eingebettet sind. So blieb die in ihrer Abgründigkeit und überschäumenden Fülle kaum überbietbare geistige Biographie Goethes unausgeschöpft wie Bismarcks verwirrendes Psychogramm, dessen besonderes Kennzeichen, die Ambivalenz der Entscheidungen, nicht so differenziert dargestellt werden konnte, wie ein politisches Vollblut dies verdient hätte. Aber jede Gestalt ist schließlich mehrdeutig! Gleichwohl konnte hoffentlich vermieden werden, die Jahrhundertfiguren zu trivialisieren oder Persönlichkeiten gar ins Chargenhafte zu verdünnen. Die historiographischen Fakten und ihre Darstellung mögen durch eigenes Wissen und historische Kompetenz des Lesers ergänzt werden, der sich so jeweils ein eigenes Bild malen kann.

Die irrlichternden Fakten des individuellen Seins von 26 Elitebeispielen aus Frankfurts reicher Wirtschafts- und Kulturgeschichte nicht voll ausloten zu können, wurde auch vom Maß des beschränkten Umfangs bestimmt. So wurde beispielsweise auf eine Edelmetall-Liste der Olympioniken verzichtet, die 1906 mit dem Säbelfechter Emil Schön beginnt und über die Speerwerferin Tilly Fleischer, die 1936 Gold errang, bis hin zur Florettfechterin Helene Mayer (1928) und dem 100-m-Sprinter Armin Harry (1960) reicht. Auch die von Liselotte Linsenhoff und Josef Neckermann angeführte Klasse der Springreiter sowie die Eiskunstläuferin Marika Kilius sind in Frankfurt unvergessen.

Sollte es dem Autor mit dem Versuch der archäologischen Spurensicherung gelingen, einen repräsentativen Ausschnitt aus Frankfurts reicher Kulturgeschichte zu würdigen, um damit einen gewissen Stolz der Frankfurter auf die Wurzeln ihrer Stadt zu erzeugen, dann wäre das ein Grund mehr, sich mit den so unterschiedlich strukturierten Lebensverläufen unserer Vorfahren des Geistes zu identifizieren. Identität kann so zum Kulturgut werden, denn die Biographien der hier Porträtierten korrespondieren mit der stolzen Geschichte der Mainmetropole.

Es dürfte kaum eine andere deutsche Stadt geben, die ähnlich dynamisch von der Spannung aus Tradition und Zukunftssinn geprägt wurde wie Frankfurt am Main. Stetiger Wandel drückt sich nirgends eindrucksvoller in Physiognomie und Charakter einer Stadt aus wie in dieser Metropole *in permanent progress.*

Die gesellschaftlichen Traditionen, das kulturelle Erbe, die wirtschaftlichen Grundlagen und wissenschaftlichen Ressourcen als Kapital aus vergangener Zeit werden in den wenigen und nur knapp skizzierten Porträts jener Koryphäen und Kapazitäten sichtbar, die mit ihrem weltweiten Renommee den internationalen Rang Frankfurts bestimmen. Darüber dürfen aber die individuellen Leistungen, die großen Ideen und kleinen Utopien all jener nicht vergessen werden, die der Stadt ihr Gesicht gegeben und ihren herben urbanen Charme und ihre menschliche Fasson geprägt haben: die Dichter, die Maler, die Komponisten, die Philosophen, die Wirtschaftsführer und Bankiers, der ökonomische Adel und die Geistes-Aristokratie. Was der in Jahrhunderten mit solch universalem Geist bepflanzte Boden heute an Früchten trägt, verdient unsere Erinnerung. Der zivilisatorische Standard einer Stadt bemißt sich vorzüglich anhand ihrer Eliten, wobei es Adornos Vorbehalt zu beherzigen gilt, daß einer „in Gottes Namen Elite sein mag, aber niemals als solche sich fühlen darf".

Das klassische Erbe ist nach André Malraux ja nicht nur das, was wir verehren, sondern vor allem das, was uns hilft, nach vorne zu denken. Dafür braucht es Ressourcen der Kreativität und Inspiration, deren viele wir den Frankfurter Eliten verdanken: Von Karl dem Großen über den Freiherrn vom Stein bis zu Bismarck, der acht Jahre mit seiner Familie in Frankfurt lebte, reicht die politische Ahnengalerie. Von den Rotschilds über die Bethmanns bis zu Albert und Friedrich von Metzler gründet sich das Vertrauen in Frankfurts Bankenwelt. Von den ehemaligen großen Oberbürgermeistern Adickes und Miquel bis zu Ludwig Landmann, Walter Kolb und Walter Wallmann stammen die Entwürfe einer Stadt, in der zu leben als Privileg sollte empfunden werden können. Von Goethe über Hölderlin und Börne, von Schopenhauer über Hegel bis Adorno, von Humperdinck und Max Beckmann bis hin zu Hindemith reicht die Chronik der berühmten kreativen Frankfurter, die vom Autor nur gelegentlich durch die Brille der Affekte gesehen wurden. „Eine Chronik schreibt nur derjenige, dem die Gegenwart wichtig ist." (Goethe)

In einer Zeitspanne von zweihundertundneun Jahren, zwischen 1795 und 2004, sind nur 26 Persönlichkeiten für ihre Verdienste um die Stadt Frankfurt und ihre Bürger durch die Verleihung der Ehrenbürgerwürde ausgezeichnet worden, darunter keine Frau. Die Porträts der ersten 25 Ehrenbürger wurden schon in der Biographie *Der Ehrenbürger. Aus dem Leben des Mäzens Bruno H. Schubert* (2003) veröffentlicht. Diese Aufsätze über 25 biographische Bastionen unserer Frankfurter Kulturgeschichte sind für dieses Buch erweitert, korrigiert und teilweise umgeschrieben worden. Neu ist das 26. Kapitel, das dem Ehrenbürger von 2004, Friedrich von Metzler, gewidmet ist. Was der Leser dort an historischen Hintergründen zum Bankhaus Metzler vermissen mag, findet er unter den Porträts Nr. 5 über Friedrich Metzler (geb. 1749) und Nr. 16 über Emma Metzler (geb. 1827) ausgebreitet: Insgesamt eine wahrhaft imponierende Familiensaga von einer historischen Dimension, die ihresgleichen sucht.

Nur kurz erwähnt werden die beiden 1933 opportunistisch zu Ehrenbürgern ausgerufenen Nazipotentaten Hitler und Göring, deren Ehrenrechte 1947 förmlich aberkannt wurden, während dem Ehrenbürgergespenst Paul von Hindenburg, der Hitler durch die Ernennung zum Reichskanzler zur Macht verholfen hatte, der Ehrentitel belassen worden ist.

Es gibt keine alleinseligmachende geschichtliche Perspektive. So liest sich die gültige Liste der 26 Frankfurter Ehrenbürger als historisches Kaleidoskop des Militärs, der Diplomatie, der Politik sowie des Geistes und der Kultur bis in unser Säkulum hinein. Gegen die notorische Geschichtsvergessenheit unserer Zeit und genrehafte Verklärung der Vergangenheit möchte dieses Buch die Kategorie der Erinnerung auch als eine moralische bemühen.

Ehrenwürdige Bürger Frankfurts

Wer die höchste Unwirklichkeit erfaßt,
wird die höchste Wirklichkeit gestalten.
(Hugo von Hofmannsthal)

1. Adam Elsheimer (1578–1610)

Adam Elsheimer wurde am 18. März 1578 in Frankfurt am Main getauft. Als Schüler des Frankfurter Altarbildmalers Philipp Uffenbach (1566–1636) orientierte er sich zunächst an der altdeutschen Malerei, eignete sich aber bald die Technik der aus ihrer Heimat nach Frankfurt geflohenen südniederländischen Maler an, die hier die erste „Frankfurter Schule" aus der Taufe hoben. Die sieben Tafeln des weltberühmten Kreuzaltars, allen voran die Mitteltafel *Die Verherrlichung des Kreuzes*, aber auch die Barockgemälde *Das Opfer in Lystra* oder *Myrrha* sowie zahlreiche Handzeichnungen erinnern im „Städel" deren viele Bewunderer daran, daß Adam Elsheimer neben Goethe als der wohl bedeutendste Sohn Frankfurts zu würdigen bleibt.

Die lange Zeit verschollen geglaubte und schließlich im fernen Australien wiederaufgetauchte siebte Tafel des Kreuzaltars, *Die Befragung des Judas*, hat Werner Wirthle 1981 für die Frankfurter Stiftung „Imprimatur" ersteigert. Mit dieser Trouvaille konnten die sieben Stationen jener schönen Legende komplettiert werden, welche die Suche und Auffindung des Kreuzes Christi durch Kaiserin Helena, die Mutter Kaiser Konstantins, in Jerusalem zeigen.

Die Sehnsucht nach dem Süden zog Elsheimer 1598 aus dem damals zwanzigtausend Einwohner kleinen Frankfurt zunächst für zwei Jahre nach Venedig und schließlich in die Stadt der verschwenderischen Sonne: nach Rom. Hier ist er als „Adamo Tedesco“ schon im blühenden Alter von 32 Jahren als Unvollendeter gestorben. Angeregt durch Tizian und Caravaggio, beeinflußte er seinerseits Rubens, Lorrain und Rembrandt. In seiner kurzen Schaffensperiode vollendete er etwa fünfzig Gemälde sowie zahlreiche Zeichnungen und Radierungen. Seine Technik wurde von dem Holländer Hendrik Goudt in Rom derart geschickt kopiert, daß sich heute in einigen Fällen die tatsächliche Urheberschaft Elsheimers nur schwer feststellen läßt, zumal sich unsere Wahrnehmung in dem Maße verändert, in dem sich unser zeitlicher Abstand zu den Kunstwerken der Vergangenheit vergrößert.

Adam Elsheimer gilt in der Kunstgeschichte als Inbegriff des unbedingten Künstlertums, als Großereignis des Barock. In Elsheimers auf genauen Naturstudien fußenden idealisierten Kompositionen verschmelzen Naturwahrheit und poetische Veranschaulichung zur ergreifenden Stimmungskunst.

Die Nachwelt hat Elsheimers Tod 1610 als Verlust empfunden. Sein Freund Peter Paul Rubens beklagte dessen Hinscheiden mit den Worten: „Nach einem solchen Verlust sollte sich unsere Zunft in tiefe Trauer hüllen. Sie dürfte nicht leicht jemanden finden, der seinen Platz einnehmen könnte.“

Lange vor Adam Elsheimer hat ein anderer berühmter Maler in Frankfurt seine Visitenkarte abgegeben: Jörg Rathgeb (1480–1526), ein schwäbischer Meister aus der Generation Albrecht Dürers, hat im Kreuzgang des Karmeliterklosters und in dessen Refektorium genialische Wandgemälde geschaffen, deren Vollendung vier Jahre (1514–1518) beanspruchte. Die im letzten Krieg stark beschädigten Wandbilder wurden 1980 für eine Million Mark von Restauratoren aus Krakau in mühevoller Kleinarbeit wieder instand gesetzt. Das Wandbild im Refektorium erzählt Geschichten aus dem Leben des Propheten Elia vom Berg Karmel in Israel und seines Nachfolgers Elisa, die von den Karmelitern als ihre Ordensstifter reklamiert werden.

Einer der erhabensten Zwecke der Tonkunst
ist die Ausbreitung der Religion und die
Beförderung und Erbauung unsterblicher Seelen.
(Carl Philipp Emanuel Bach)

2. Georg Philipp Telemann (1681–1767)

Schon lange bevor anno 1795 der erste Frankfurter Ehrenbürger gekürt wurde, hatte ein ehrenbürgerwürdiger Komponist neun Jahre lang von Frankfurts kultureller Strahlkraft musikalisch geniale Signale versendet: Georg Philipp Telemann.

Am 14. März 1681 in Magdeburg als Pfarrerskind auf die Welt gekommen, schuf er schon im zarten Alter von zwölf Jahren seine erste Oper *Sigismundus* (1693). Auf Wunsch des Vaters ging er zum Jurastudium nach Leipzig, wo der Zwanzigjährige umfangreiche musikalische Aktivitäten entfaltete: Er gründet und leitet ein studentisches Collegium musicum, ist als Sänger und künstlerischer Leiter der Leipziger Oper und als Organist an der Neuen Kirche tätig und komponiert, neben Opern, Kantaten für die Thomaskirche. Mit seiner hohen musikalischen Begabung avancierte er in der höfischen Welt zum Kapellmeister des Grafen Erdmann von Promnitz in Sorau (1705) und zum Hofkapellmeister in Eisenach (1708), wo er sich mit dem in Weimar wirkenden Johann Sebastian Bach befreundete. 1712 folgt er einem Ruf nach Frankfurt am Main, um als Kapellmeister der Barfüßerkirche die Andacht mit musikalischem Flair zu umfloren. Hier brachte er mit wunderbarer Virtuosität die Orgel zum Jubilieren. In der Stadt mit 25 000 Einwohnern komponierte er religiös beseelte Kantaten und Kammermusik galanten Stils, Sonaten und Sonatinen. Vertragsgemäß mußte er nicht nur leibhaftig in der Barfüßerkirche immer präsent und dem lieben Gott gefällig sein, sondern Musik nach „bestem Verstand moderieren, bestellen und ausrichten". Dafür erhielt er eine Art Gotteslohn in Höhe von dreihundertundfünfzig Gulden per annum und „obendrein" noch vom sogenannten „Korn-Ambt zwölff Achtel Korn" als Almosen, was dem guten Ton nicht unbedingt entsprach.

In Frankfurt avancierte Telemann schließlich zum städtischen Musikdirektor. Später leitete er auch das „Collegium musicum" im vornehmen Haus eines der reichsten Patrizier Frankfurts, Brun von Braunfels. Unter dessen Dach hatte bereits kein Geringerer als Kaiser Maximilian I. 1495 dem Reichskammergericht präsidiert, und 1632 fand auch der Schwedenkönig Gustav Adolf hier angemessene Herberge. Später tagte im Haus Braunfels die Frankfurter Börse, bei der die Rothschilds eine Zeitlang die Kurse diktierten. Dem Genie Telemann gewährte die adelige „Gesellschaft Frauenstein" im Hause Braunfels freie Wohnung, fünfzig Gulden Lohn und vierzig Gulden Holzgeld. Dafür mußte er auch noch das Haus verwalten. Gleichwohl verbeugte sich die vornehme Gesellschaft staunend vor solcher Größe. Seine Frankfurter Jahre dürfen außerordentlich produktiv genannt werden: Hier entstanden seine 5 Davidischen Oratorien (1718) und seine Opern *Der gedultige Sokrates* (1721) und *Sieg der Schönheit* (1722).

In Frankfurt brachte seine Frau Maria Katharina Textor acht Söhne und zwei Töchter zur Welt, weshalb er unbedingt Frankfurter Bürger bleiben wollte, auch nachdem ihn 1721 die Hansestadt Hamburg zum Kantor und zum Musikdirektor der fünf Hauptkirchen berufen hatte.

Dem produktiven Wegbereiter der musikalischen Klassik, dem Frankfurt die erste Blüte seines Musiklebens verdankt, wurde dieser Wunsch nur unter der Bedingung gewährt, bis 1761 jedes dritte Jahr eine neue Kirchenkantate für Frankfurt zu komponieren.

Zu Telemanns heute noch oft gespielten Werken zählen auch die besten seiner tausend Orchestersuiten. Leidenschaft war das große

Movens seiner extremen Produktivität. Die Musikgeschichte ordnet Telemanns kompositorisches Genie zwischen Bach und Händel und den späteren Haydn, Mozart und Beethoven ein.

Telemann starb 1767 an der Alster.

... so habe ich allezeit den Gedanken gehegt, für alle Wohltaten, welche ich Zeit meines Lebens ... in meiner Vaterstadt genossen habe nach meinem geringen Vermögen mich dankbar zu erweisen.
(Johann Christian Senckenberg)

3. Johann Christian Senckenberg (1707–1772)

Jeder, der in Frankfurt die Schulbank gedrückt hat, kennt „das Senckenberg“. Das Naturmuseum an der Senckenberganlage gehört wie das Goethemuseum zum Pflichtpensum aller Frankfurter Schulen. In Johann Christian Senckenberg hatte das Mäzenatentum seine Frankfurter Inkunabel. Der approbierte Mediziner, Landphysikus und Hessen-Casselscher Hofrat, der in erster Ehe eine begüterte Landestochter zum Altar geführt hatte, konnte sich leisten, 117 400 Gulden (etwa drei Millionen Euro) in die vielen medizinischen, sozialen und kulturellen Einrichtungen seiner 1763 gegründeten Dr. Senckenbergischen Stiftung zu investieren, namentlich etwa in das heute noch bestehende Bürgerhospital. Senckenberg lag die Zirkulation sozialer und kultureller Energien am Herzen, um die Menschen des Lebens zu versichern.

Die Senckenbergische Naturforschende Gesellschaft wurde erst 1817 gegründet, zunächst um die nach Senckenbergs Tod gefährdeten Institute seiner Stiftung zu unterstützen. 1820/21 rief die Gesellschaft das Forschungsinstitut und das Naturmuseum Senckenberg ins Leben, die bis 1907 am Eschenheimer Turm residierten. Senckenberg selbst besaß ein größeres Herbarium und eine Mineraliensammlung – beide wurden zu seiner Zeit in seinem Bürgerhospital aufbewahrt, aber nur geringe Teile sind heute noch im Besitz des Museums. Zu diesem universalen Komplex zählen außerdem die berühmte Senckenbergische Bibliothek und der Botanische Garten mit exotischer Flora.

1907 bezogen die Sammlungen und 22 Forschungsabteilungen der Gesellschaft den neobarocken Neubau an der heutigen Senckenberganlage, den der Architekt Ludwig Neher konzipierte. Auf sechstausend Quadratmetern offenbart das Museum Spuren der Evolution anhand von Originalen und Replikaten vom Erdaltertum bis zur Neuzeit: den ganzen Kosmos der Mineralien, Amphibien, Reptilien, Insekten, Vögel, Fische und Säugetiere. Im Senckenberg-Museum erlebt der Besucher Natur nicht als Abstraktum, seine natürliche Neugier wird durch plastische Anschauung sinnlich befriedigt. Das heute in neun Abteilungen gegliederte Forschungsinstitut und seine Dependancen in Messel, Wilhelmshaven – mit eigenem Forschungskutter „Senckenberg“ – und anderswo liefern die wissenschaftliche Basis für die Myriaden von Museumsobjekten, darunter Donnerechse, Fischsaurier, Dreihorn oder Trachodon.

Der didaktisch-sinnliche Charakter der Präsentation dieses größten Museums seiner Art in Deutschland galt unter Museologen lange Zeit als richtungsweisend, und unter seinem agilen Direktor Fritz Steininger wird das „Senckenberg“ wieder als führend unter seinesgleichen betrachtet. Das „Senckenberg“ gehört wie das „Städel“ und das Freie Deutsche Hochstift zu den wenigen durch die Wissenschaftsgemeinschaft G. W. Leibniz dafür ausgezeichneten nichtstädtischen und nichtstaatlichen Museen der Bundesrepublik Deutschland, dass sie das Humboldtsche Idealbild der Einheit von Forschung und Lehre, Anschauung und Vermittlung verwirklichen.

Um „die bessere Gesundheitspflege hiesiger Anwohner und die Versorgung der armen Kranken“ zu gewährleisten, hatte Senckenberg 1765 das „Bürgerhospital“ gegründet, damals am Eschenheimer Turm. Er finanzierte außerdem den überfälligen Bau einer Anatomie. An einem kalten Novembertag des Jahres 1772 bestieg Senckenberg den soeben vollendeten Uhrturm des Bürgerhospitals, um aus dieser Höhe das Umfeld zu inspizieren, und stürzte sich dabei zu Tode. Man darf es wohl Ironie des Schicksals nennen, daß Senckenbergs Leichnam der erste war, der auf den Seziertisch seiner neuen Pathologie gebettet wurde. Obwohl der Stifter des „Theatrum anatomicum" dies in seinem Testament ausdrücklich untersagt hatte, wurde sein Leichnam zwei Tage später öffentlich seziert.

Zeitgenosse Goethe sah den 1707 geborenen und im „Haus zu den drei Hasen" in der Hasengasse aufgewachsenen Senckenberg mit gelindem spöttischen Soupçon als Sonderling in Erscheinug treten: „Er war immer sehr nett gekleidet, und man sah ihn nie anders auf der Straße als in Schuhen und Strümpfen und einer wohlgepuderten Lokkenperücke, den Hut unterm Arm. Er ging schnell, doch mit einem seltsamen Schwanken vor sich hin, so daß er bald auf dieser, bald auf jener Seite der Straße sich befand und im Gehen ein Zickzack bildete. Spottvögel sagten: er suche den abgeschiedenen Seelen aus dem Weg zu gehen, die ihn in gerader Linie wohl verfolgen möchten."

Wie hoch aber Goethe das mäzenatische Mandat schätzte, das Senckenberg sich nobel selbst erteilt hatte, beweist sein Aufruf vom November 1817, der entscheidend mit zur Gründung der Senckenbergischen Naturforschenden Gesellschaft beigetragen hat. Über dreißig naturliebende Bürger sind Goethes Aufruf gefolgt und haben Teile ihrer relevanten Privatsammlungen gestiftet.

Während Senckenbergs älterer Bruder Erasmus ein von seinem Amt als Frankfurter Senator suspendierter Krimineller war und nach 25 Jahren Kerker daselbst seine Seele aushauchte, hat Johann Christian auf seiner Lebensbahn das Glück begleitet und den begnadeten Arzt und leidenschaftlichen Humanisten von hoher Gesittung hervorgebracht, der eine Weile seine brüderliche Hand auch schützend über Erasmus gehalten hat bis er zu der erweiterten Erkenntnis kam: „Mein Bruder und der Senat sind zusammen faule Eier und stinkende Butter".

Sein in Gleichmut gehüllter Charakter ließ Senckenberg keine Ehrungen annehmen, so lehnte er, wie später Goethe aus anderen Gründen, die Ehrenbürgerschaft der Stadt ab.

Von Jugend auf nährte ich Liebhaberei an
Malereien, Kupferstichen und anderen Kunstsachen.
(Johann Friedrich Städel)

4. Johann Friedrich Städel (1728–1816)

Das Städel zählt zu den bedeutendsten Kunstmuseen Deutschlands. In die Sammlung von wertvollen Originalen der Stiftung sind die Kunstwerke der 1907 gegründeten „Städtischen Galerie im Städel" inkorporiert, die etwa vierzig Prozent des Bestands ausmachen. Die Patrizier Carl Schaub und Ludwig Joseph Pfungst hatten zur Gründung der städtischen Galerie durch Zustiftung ein gehöriges Scherflein beigetragen. Das Städel ist das älteste Museum Frankfurts. Städel selbst hat Goethe durch seine Sammlung geführt und ihn für die Idee einer Museumsgründung begeistert.

Als eine der damals noch seltenen Stifterfiguren mit abgeschlossenem Lebenswerk hielt es der 87jährige Handelsmann und Bankier Johann Friedrich Städel, der als ewiger Junggeselle ohne Erben geblieben war, für seine sozialmoralische Pflicht, seinen Reichtum zu vergesellschaften: Er hat in seinem Testament aus dem Jahre 1815 1,1 Millionen Gulden zweckgebunden der nach ihm benannten Stiftung vermacht. Mit dieser Summe wurden in den Jahren nach 1870 der großdimensionierte Museumsbau des Architekten Oskar Sommer sowie die angeschlossene Städelsche Kunsthochschule auf dem Nachbargrundstück an der Dürerstraße gebaut.

In der Städelschule haben Johann Nepomuk Zwerger, Philip Veit, Richard Scheibe, Max Beckmann und Willi Baumeister sowie in der jüngsten Vergangenheit Gerhard Richter, Ulrich Rückriehm und Hermann Nitsch den künstlerischen Nachwuchs ausgebildet.

Als die Wahrnehmung schöner Bilder noch als relatives Erlebnis galt, begründete Städel in seinem Brief an den Großherzog von Frankfurt, Fürstprimas Carl Theodor von Dalberg seine großmütige Stiftung biographisch: „Von Jugend auf nährte ich Liebhaberei an Malereien, Kupferstichen und anderen Kunstsachen. Meine Vermögensumstände in Verbindung mit dem ledigen Stande begünstigten sowohl in Rücksicht der nötigen Weise als des erforderlichen Aufwands diesen Kunsthang."

Im Stifterbrief aus dem Jahre 1815 – zwei Jahre nach Napoleons Ende und nachdem der Status „Reichsstadt" für Frankfurt wieder aufgefrischt worden war – sind die Zuständigkeiten der Stiftung ein für allemal geregelt: „Fünf würdige Personen aus der dahiesigen Bürgerschaft" sollten der Städeladministration angehören, „ohne irgendeine obrigkeitliche Rücksprache oder Genehmigung einholen zu müssen." Museen waren für Städel Töchter der Freiheit.

Nach dem Zweiten Weltkrieg hat der Magistrat der damals inzwischen mittellosen Städelstiftung durch jeweils aktualisierte Verträge die materielle Grundsicherung des Instituts garantiert. Die Stadt Frankfurt übernahm auch die Kosten des von Gustav Peichl konzipierten voluminösen Anbaus des Jahres 1990 an der Holbeinstraße.

In der Administration war es für die prominenten Gralshüter eines unermeßlichen Kulturschatzes selbstverständliche Bürgerpflicht, die notwendigen Gelder für die „Extras" herbeizuschaffen, darunter Benno Reifenberg, Albert von Metzler, Hermann Josef Abs, Werner Wirthle, Barbara von Metzler und der agile gegenwärtige Vorsitzende Nikolaus Schweickart. Das Städel verdankt seinen international unbestrittenen Rang vor allem aber seinen Direktoren: 1830 wurde der Maler Philipp Veit berufen, es folgten Georg Swarzenski, der dreißig Jahre lang an der Spitze stand, Georg Holzinger von 1938 bis 1971,

Klaus Gallwitz und heute Herbert Beck. Sie alle waren oder sind zugleich verantwortlich für das Liebieghaus, das Museum für alte Plastik.

Im Foyer des Städel erinnert eine Marmorbüste von Johann Nepomuk Zwerger aus dem Jahre 1828 an den großherzigen Mäzen Johann Friedrich Städel: „Kirchen muß er stiften, sonst denkt man nicht an ihn" (Hamlet, III/2) – aber auch eine Kathedrale für die Künste garantiert vergleichbar nachhaltigen Ruhm. In den renovierten Museumsräumen wird Kunst sinnlich erfahrbar: Das Städel zählte allein im Jahre 2003 vierhunderttausend Besucher, welche die ästhetische Wahrnehmung als persönliche Bereicherung genossen. Die Direktion setzt auf Kunst als zukünftiges Wirkungspotential für die Kultivierung der Gesellschaft.

Die Wechselgeschäfte sind auf unserem Platz außer
in Hamburg die ansehnlichsten in ganz Deutschland.
(Friedrich Metzler)

5. Friedrich Metzler (1749–1825)

Um die Lebensleistung von Friedrich Metzler gebührend zu würdigen, empfiehlt es sich, zunächst die Genese des Bankhauses zu skizzieren. Ohne Übertreibung läßt sich behaupten, daß die Genealogie der Familie Metzler ab der zweiten Hälfte des 17. Jahrhunderts Teil der europäischen Zivilisationsgeschichte war und bis auf den heutigen Tag geblieben ist.

Die 1674 gegründete Firma Metzler existiert nach vielerlei Wandlungen noch immer, allein die Dauer ist ein historisches Phänomen. Während der 330 langen Jahre der Firmenbiographie haben Kriege und willkürliche Grenzziehungen, haben unterschiedliche Regierungsformen und politische Systeme und Ideologien sowie rasante wirtschaftliche und gesellschaftliche Paradigmenwechsel nicht nur die Stadt Frankfurt, sondern auch Deutschland und Europa in Atem gehalten und die Welt gehörig verändert. Der Wandel ist in Frankfurt von alters her eine stetige Größe.

Die Firma geht zurück auf den Tuchhändler Benjamin Metzler in der Geisengasse. Der Stammvater des Hauses Metzler war der jüngste Sproß einer Theologenfamilie in Cranzahl im sächsischen Vogtland. 13jährig ging Benjamin zunächst als Lehrling nach Nürnberg, 1671 beginnt er in Frankfurt als Buchhalter bei der Tuchhandlung Sebastian Schweitzer. 1674, im Jahr seiner Verehelichung mit einer vermögenden Tochter eines anderen Tuchhändlers und zwei Jahre bevor er das Bürgerrecht erhält, gründet Metzler eine eigene Tuchhandlung, die sowohl Einzel- als auch Großhandel in Frankfurt und überregional betreibt. Nach Benjamins Tod im Jahre 1686 heiratet seine junge Witwe den Spezereienhändler Johann Zwierlein und baut unter Beibehaltung des Familiennamens Metzler den Gewürzhandel mit angeschlossenem Fuhrpark aus. Benjamins Söhne benannten die Firma später nach ihrem Vater „Benjamin Metzler seelig Sohn und Consorten“. Durch den Begriff „seelig“ (sic!) teilte man in der damaligen Zeit in Ermangelung eines Handelsregisters seinen Geschäftspartnern diskret mit, daß der Gründer verstorben sei und man dem Sohn bitte dasselbe Vertrauen entgegenbringen möge wie dem Vater.

Die Marktmechanismen ihrer Zeit nutzend, erweiterten die Söhne das Unternehmen zum Speditions- und Kommissionsgeschäft, und in ihrem Expansionsdrang fügten sie, basierend auf ihrem Wissen aus dem Fernhandel, ihrem Ehrgeiz noch ein eigenständiges Wechsel- und Münzgeschäft hinzu, das mit der Zeit den Warenhandel verdrängte.

Mitte des 18. Jahrhunderts, als Frauenemanzipation noch ein Fremdwort war, leitete erstmals in der Familiensaga eine Frau die Geschäfte, Christina Barbara Metzler. Unter einer größeren Anzahl von Neffen wählte Christina Barbara 1767 den Sohn ihres in Bordeaux wirkenden Bruders Wilhelm Peter Metzler als offenbar begabtesten aus, um die Bank künftig zu leiten: Friedrich Metzler.

Wie Goethe im Jahre 1749 geboren, stieg Friedrich, nachdem er volljährig geworden war, 1769 ins Metzlersche Bankgeschäft ein und nahm das Heft in seine jungen Hände. Kraft guter Beziehungen hatte Christina Barbara dem kleinen Friedrich eine exzellente Ausbildung angedeihen lassen, auf daß er eines Tages ihr solider Nachfolger werde. Ab 1760, als sich der Aufstieg des Bankhauses Rothschild ankündigte, hatte sich unter Christina Barbaras Regie auch das Haus Metzler sukzessive zur reinen Bank gewandelt, und so wurde ihr Zögling Friedich 1771 der erste wirkliche Bankherr in der Metzlerschen Familiengeschichte.

Unter den vielen herausragenden Gestalten der Familie Metzler ist er zweifellos die beherrschende Figur. Dreißigjährig heiratet er 1779 Susanne Fingerlin. Mit dem beträchtlichen Vermögenszuwachs kam er seinem Ziel näher, im Staatsanleihengeschäft einen bedeutende Rolle zu spielen. Die Erfolgsserie begann 1779 mit einer Anleihe für Kurbayern in Höhe von 200 000 Gulden. Es folgten Anleihen für die Städte Lüttich und Aschaffenburg sowie für den Herzog zu Sachsen-Meinigen, für Preußen und den regierenden Grafen Sayn-Wittgenstein in den Jahren 1786 bis 1799. 1790 war Friedrich Metzler vorübergehend Mitglied des städtischen Senats.

Zwei Jahre später besetzten die Franzosen Frankfurt. Weil seine Vaterstadt die fälligen Kontributionen an die Franzosen nicht zahlen konnte, wurden 1796 Geiseln nach Frankreich deportiert, darunter acht Ratsmitglieder. Bruder Wilhelm Peter Metzlers diplomatischem Geschick sollte es gelingen, mit dem französischen General günstige Modifikationen auszuhandeln.

Friedrich Metzler setzte besondere Akzente auf das Emissionsgeschäft. Er hatte früh erkannt, wie sehr der Erfolg sich nährt von der Bonität der Kunden, und hat aus dieser Gewißheit ein recht effizientes Informationssystem ausgeklügelt, das ihm die jeweilige Kreditwürdigkeit anzeigte.

Mit seinen Ideen zur weiteren Gestaltung des Bank- und Börsenwesens war er seiner Zeit weit voraus. So entwickelte er 1790 als erster in Deutschland gemeinsam mit den Bankhäusern „Johann Gottfried Schmidt & Co.“, „Rüppel & Harnier, Heyder & Co.“ sowie „Willemer“ ein Projekt zur Gründung einer „Zettelbank“, wie damals die Notenbanken genannt wurden, die nach dem Vorbild der Bank of England, gegründet bereits 1694, die Praxis des Münzwesens und des Geldverkehrs erleichtern helfen sollte. Seine Überlegungen überstiegen den Horizont seiner Zeitgenossen bei weitem und fanden daher nicht genügend Unterstützung. Erst lange nach seinem Tode erfolgte 1864 die Umsetzung durch die Gründung der Frankfurter Bank.

Nachdem Friedrich Metzler im Jahre 1825 76jährig gestorben war, konzentrierten sich seine Nachfahren mehr und mehr auf den Effektenhandel und auf das Depotgeschäft, zumal der Emissionshandel zu risikoreich wurde.

Weltwirtschaftskrisen konnten die Metzlers trotz Krieg und Revolution aus eigener Solvenz gut überstehen; indem sie ihre Geschäftsfelder anpaßten, konnten sie am Finanzplatz Frankfurt auch mit ihrem prosperierenden Kreditgeschäft mitten im Herzen Europas unabhängig bleiben. Sie zogen damit ihren Wechsel auf die Zukunft.

Es verdient als einmaliges Phänomen in der Bankengeschichte gewürdigt zu werden, daß das Bankhaus Metzler bis heute im Alleinbesitz der Gründerfamilie geblieben ist. Mindestens ein Familienmitglied gehörte stets als persönlich haftend der Geschäftleitung an.

Auch ihrer Heimatstadt Frankfurt blieben die Metzlers immer verbunden: Sie begriffen öffentliche Ämter als bürgerschaftliche Verpflichtung und übernahmen von Anfang an entsprechend Verantwortung. Schon 1734 hatte sich Johann Jeremias (1698–1743) in den Frankfurter Bürgerausschuß wählen lassen, als erster Metzler wurde er 1742 Vorstand der Börse. Zu den Künsten hingezogen, setzten sich Johann Jeremias und sein Bruder Benjamin 1735 mutig für die „Neuberin", die Schauspielerin Friederike Karoline Neuber, ein, deren fahrender Schauspielertruppe sie beim Rat der Stadt eine Auftrittsgenehmigung verschafften – sogar für Bürgerschreckstücke mit aufklärerischer Tendenz. Durch ihren Einsatz konnte die Truppe ihre Theaterbude auf dem Liebfrauenberg aufschlagen. Die Metzlers galten als Vorkämpfer für Liberalität in Frankfurt.

Friedrichs Cousin Johann Wilhelm Metzler (1755–1837) wurde im Oktober 1813 zum Jüngeren Bürgermeister ernannt, welches Amt er bis Juni 1815 ausübte. Von 1816 bis Ende 1817 sowie erneut ab 1819 war er Erster Älterer Bürgermeister Frankfurts. Da Johann Friedrich Städel ihn hochgeschätzt hatte, wurde Johann Wilhelm Metzler testamentarisch als Schiedsinstanz der Städel-Stiftung bestellt. Sein Name ist auf einer Bronze-Tafel in der Wandelhalle des Römers als erster vermerkt.

Albert Metzler (1839–1918) aus der übernächsten Generation vertrat seine Vaterstadt von 1885 bis 1893 im Preußischen Abgeordnetenhaus; 1904 wurde er auf Lebenszeit ins Preußische Herrenhaus berufen. Zugleich war er ab 1886 Bayerischer Generalkonsul. Bereits 1880 war er in die Stadtverordneten-Versammlung gewählt und im folgenden Jahr zum unbesoldeten Stadtrat ernannt worden. Dieses Amt bekleidete er bis Ende 1912 und leitete, da Oberbürgermeister Adickes zurückgetreten und sein Stellvertreter krank war, im letzten Jahr seiner Amtstätigkeit dessen Geschäfte.

Korrespondierte das wirtschaftliche Engagement der Familie Metzler über Jahrhunderte hinweg mit der gleichzeitigen Entwicklung Frankfurts zum zentralen Finanzplatz, so verdanken die Metzlers ihr Ansehen und ihren großen Einfluß nicht zuletzt auch ihrem forcierten sozialen, kulturellen und politischen Engagement und ihrer Fähigkeit zur Kommunikation. Sie haben die politischen und geistigen Größen im Wechsellauf der Zeiten in den Salon ihres Offenbacher Anwesens eingeladen, wo auch der junge Goethe gern verkehrte. Hier hatte der Dichter mit Lili Schönemann eine Romanze begonnen, die er in *Dichtung und Wahrheit* literarisch veredelte. Auch König Friedrich III. von Preußen war hier gelegentlich zu Besuch, ebenso wie Freiherr vom Stein oder Ernst Moritz Arndt und natürlich die ästhetisch gebildeten Stände.

Albert von Metzler (1898–1989), der Vater des späteren Frankfurter Ehrenbürgers Friedrich von Metzler, wirkte seit 1923 in der Firma. In seiner Zeit beschleunigten die Prozesse der Geldentwertung die völlige Zerrüttung der Währung und kulminierten zur Inflation. Aber Albert von Metzler und den Partnern des Bankhauses gelang es, den „Schwarzen Freitag“ der Wallstreet und in dessen Folge die internationale Bankenkrise vom Juli 1931 relativ unbeschadet zu überstehen. Kein Sympathisant des NS-Regimes, wurde er in Hitlers Wehrmacht rekrutiert und an die Ostfront kommandiert; er kehrte abgemagert erst im Jahre 1950 aus sowjetischer Gefangenschaft nach Frankfurt zurück.

Albert von Metzler erinnern jene, die ihn gut kannten, als eine vornehme Erscheinung, vornehm auch im Charakter. So stellte man sich einen seriösen Bankier vor, ausgestattet mit menschlichem Feingefühl. Er unterhielt sein Leben lang eine affektive Beziehung zu den Künsten und zur Kultur, die er zu seiner Daseinsform erklärte. Er war Mitglied der exquisiten Städel-Administration und Förderer der Senckenbergischen Stiftung. Dem sittlichen Grundgesetz des Hauses Metzler folgend, hat auch er öffentliche Ämter angenommen und von seinen Mitteln viel an die Gemeinschaft zurückgegeben, als deren solidarischer Teil er sich bewußt begriff.

Der als Prototyp des seriösen Unternehmers, aber auch als umworbener Mäzen hochrespektierte Bankier Albert von Metzler fragte sich jeden Morgen aufs neue, „ob das, was er gestern gedacht und getan hatte, für morgen noch das richtige sei." Dementsprechend diente dem vornehmen Albert von Metzler die Lebensphilosophie der drei großen C als Richtschnur: „Charakter, Charakter, Charakter" – sie sind zu seinem Vermächtnis geworden. Die Stadt ehrte den Stifter 1969 mit der Ehren-Plakette. Das Inkognito des zurückhaltenden Albert von Metzler war Würde.

Wir sehen in unser Leben doch nur als ein Zerstückeltes zurück, weil das Versäumte, Mißlungene uns immer zuerst entgegentritt und das Geleistete, Erreichte in der Einbildungskraft überwiegt.
(Johann Wolfgang von Goethe)

6. Johann Wolfgang von Goethe (1749–1832)

Goethe ist nicht nur der größte Sohn der Stadt Frankfurt am Main, als größter deutscher Dichter ist er in allen Lesebüchern jedem deutschen Schüler präsent.

Am 27. August 1749 in Frankfurt geboren, ist Goethe in einem 1733 erworbenen Patrizierhaus am Großen Hirschgraben gut behütet mit Hauslehrern aufgewachsen, die ihm den Willen zum Wissen eingepflanzt haben. Getauft wurde er in der mit Epitaphen reich geschmückten Katharinenkirche. In seinem autobiographischen Werk *Dichtung und Wahrheit* hat er seine Kindheit im Hause seiner Geburt minutiös beschrieben: „Die alte winkelhafte, an vielen Stellen düstere Beschaffenheit des Hauses war übrigens geeignet, Schauer und Furcht in kindlichen Gemütern zu erwecken." Es war die Zeit des Siebenjährigen Krieges mit der Besetzung seiner Vaterstadt durch die Franzosen (1759). Dem 17jährigen imponierte die pompöse Wahl Kaiser Josephs II. im Jahre 1763 im Römer, in dessen Hallen Goethes Großvater mütterlicherseits, Johann Wolfgang Textor (1693–1771) als Stadtschultheiß einmal großen Einfluß besaß. Die prunkvolle Krönung im Kaiserdom faszinierte den jungen Goethe wie bis dahin kein anderes Ereignis.

Als Jurist und kaiserlicher Rat empfahl Vater Johann Caspar Goethe seinem Sohn ein Jurastudium in Leipzig (1765–1768). Nach einem tuberkulösen Infekt kehrte er von dort vorrübergehend heim ins väterliche Haus am Großen Hirschgraben (das in der Bombennacht am 22. März 1944 zerstört werden wird); Goethe promoviert in Straßburg.

Auch wenn der Verfasser des *Faust* nicht „Helenen in jedem Weibe“ sah, so ruhten doch seine ästhetisch geschulten Augen bis ins hohe Alter mit jugendlicher Unbefangenheit auf der einen oder anderen Schönen, die seinen sensibel formulierten Hinwendungen ihre literarische Verewigung verdanken: Im *Westöstlichen Divan* (1819) erkennen Insider in der lichten literarischen Gestalt der „Suleika“ unschwer Marianne Willemer vom Mühlberg am Sachsenhäuser Hühnerweg. Goethe sah nicht nur seine Vaterstadt Frankfurt 1815 das letzte Mal, sondern auch seine „Suleika“.

Der schönen Pfarrerstochter Friederike Brion aus Sesenheim widmet er so herzzerreißende Lieder wie *Willkommen und Abschied* und das wunderschöne *Mailied*. Damit kreiert Goethe zugleich einen ganz neuen lyrischen Stil, indem er Erlebnis und Reflexion mit volksliedhafter Unmittelbarkeit zu gefühlvollen Versen verschmilzt. Aus der heikel-komplizierten Beziehung zu Charlotte Buff, der Braut eines befreundeten Juristen, hat Goethe später den Grundstoff für seinen *Werther* (1774) bezogen. Dieser zum Meisterwerk gelingende Roman einer unbedingten, im Tod kulminierenden Liebessehnsucht hat sich Myriaden von Lesern tief in die Seele gegraben und Goethes Ruhm begründet. Goethes kurze Verlobung mit Anna Elisabeth Schönemann mit dem banalen Kosenamen „Lili“ blieb ohne karressierende literarische Folgen: „Lili, Adieu ... Es hat sich entschieden. Wir müssen einzeln unsere Rollen ausspielen!“ Wie man sieht, läßt sich von historischer Größe schlecht berichten, wenn nicht auch von Liebe und Leidenschaften erzählt werden darf: „Welch’ Glück, geliebt zu werden, und lieben, Götter, welches Glück“ (Goethe). Die Zäsuren zwischen den Glücksmomenten dienten dem Dichter auch zur Reflexion des Scheiterns.

Während seiner kurzen Frankfurter Praxis als Advokat war Goethe als 22jähriger mit dem Fall der Kindsmörderin Susanna Margaretha

Brandt befaßt, deren „entdecktes großes Verbrechen, dessen Untersuchung und Bestrafung die Stadt auf viele Wochen in Unruhe setzte“. Margarethas Schicksal inspirierte ihn zu der tragischen Figur des Gretchens in *Faust I*, die er poetisch wirksam zur zentralen Metapher der Verführung stilisierte.

In einer Zeit, als Deutschland in dreihundert territoriale Einheiten zerfallen war, zieht es Goethe 1775 nach Weimar, in den kleinen Residenzort des Herzogs Karl August mit 16 000 Einwohnern. Mit den beiden Dioskuren Goethe und Schiller avanciert Weimar schnell zum Gravitationszentrum der deutschen Klassik, an dessen Ruhm Herder und Wieland, Bach und Liszt, Böcklin und Liebermann keinen geringeren Anteil hatten, als Weimar noch war, was dem Ort den Glanz eines Symbols, seine geistige Glorie, seine einmalige Geschichtlichkeit verlieh. Was Goethes Bruder im Geiste, Friedrich Schiller, „die bessere Natur zu entwickeln und zu vollenden“ nannte, das war das große gemeinsame Projekt der Aufklärung.

Im höfischen Strahlenkranz Weimars sonnte sich der Dichter in der Gunst des Herzogs und der Empathie von Anna Amalia. (Goethe leitete 33 Jahre lang die Anna-Amalia-Bibliothek, die im Jahre 2004 völlig ausbrannte.) Hier reifte der schon 1782 geadelte Goethe zum Staatsmann mit Portefeuille, der als Minister nicht nur die offizielle Macht besaß, die herzogliche Armee auf 142 Mann zusammenzuschrumpfen, um mit dem Eingesparten das kulturelle Millieu zu möblieren, sondern in seiner changierenden Doppelexistenz von staatsmännischer und literarischer Karriere auch die Kultur als diplomatisches Scharnier zu nutzen wußte. Goethes unwahrscheinliches Leben oszilliert zwischen Freiheit und Raison zum Einklang mit sich selbst, zwischen rastloser Produktivität und gezügeltem Lebensgenuß. „In Goethes Umfänglichkeit findet jeder das Seine“, befand Thomas Mann, aber auch in Goethes Selbstwidersprüchen.

Goethe, der in Frankfurt nicht weniger als seinen *Urfaust*, *Clavigo*, den *Götz* und *Die Leiden des jungen Werther* geschrieben hatte, mußte erst achtzig werden, bevor ihm die Stadtoberen vom Main die Ehrenbürgerwürde antrugen. Weil die Frankfurter sich Goethes Verdienste erst in seinem schlohweißen Alter erinnerten, hat er ihnen einen Korb gegeben. Statt dessen wurde sein Bildhauer Ludwig von Schwanthaler Ehrenbürger: „So Ehre dem, wem Ehre gebührt“ singt der Chor in der Walpurgisnacht im *Faust*. Dementsprechend stilvoll wurde der große Zeitgemäße in der Krypta der Fürstengruft auf dem Historischen Friedhof von Weimar zur letzten Ruhe gebettet.

Seit 1927 verleiht die Stadt Frankfurt im dreijährigen Turnus den Goethe-Preis, den als erster Stefan George, der Dichter der Innerlichkeit erhielt: „Du sollst zuinnerst glühen“. Seit 1947 vergibt die Stadt außerdem die Goethe-Plakette.

Acht Jahre vor seinem Tod ließ Goethe seine Geburtsstadt in mildem Lichte glänzen, als er Bettina von Armin bei ihrem Besuch in Weimar anvertraute: „Wenn mich jemand früge, wo ich mir den Platz meiner Wiege bequemer, meiner bürgerlichen Gesinnung gemäßer oder meiner poetischen Ansicht entsprechend denke, ich könnte keine liebere Stadt als Frankfurt nennen … Sie ist gerade groß genug, dass sie die Ambition jungen regsamen Gemütes befriedige, sie hatte zum wenigsten in meiner Zeit eine lebendige Teilnahme, durch die ich allein zu meiner Entwicklung kam.“

Immerhin ist die zerfallende Beziehung zu Frankfurt wenigstens gegen Ende noch gekittet worden. Weil das Feuer des Eros auch in seinem 66. Lebensjahr nicht erloschen war, hat Goethe 1815 seinen Geburtstag in der Oberräder Gerbermühle gemeinsam mit der 35 Jahre jüngeren Marianne von Willemer gefeiert, deren Gatte und Bankier Johann Jakob von Willemer just jenes Gelände gehörte, auf dem das bizarre Rendezvous zum literarischen Ereignis werden sollte.

Finanzen sind auch dazu da,
Kultur zu ermöglichen.
(Simon Moritz von Bethmann)

7. Simon Moritz von Bethmann (1768–1826)

Im 18. Jahrhundert konnten sich die Bürger der Stadt mit den hochangesehenen privaten Bankhäusern Bethmann, Rothschild, Metzler, Hauck als leibhaftige originäre Francofurtensien identifizieren.

Das Bankhaus Bethmann wurde 1748 gegründet und schnell zu einer vertrauenswürdigen Institution. Simon Moritz von Bethmann aus der zweiten Bank-Generation dieser Familie wurde 1793 der legitime Erbe des Hauses. Unter seiner Ägide entwickelte sich das Unternehmen zu einer der führenden deutschen Privatbanken. Bethmanns Schwiegersohn Peter Heinrich Metzler stand ihm dreißig Jahre lang als Mitinhaber zur Seite. Durch Bethmanns strategisch gut gesteuerte Emissionen erlangte die Frankfurter Börse internationales Renommee und Bethmanns persönlicher Einfluß galt zeitweise als größer als der jeder regierenden Politik.

Wie groß das Ansehen der Familie damals war, läßt sich an der prominenten Gästeliste ablesen: Auf dem Rückzug nach der verlorenen Völkerschlacht zu Leipzig Ende Oktober 1813 in Frankfurt angekommen, quartierte sich Napoleon Bonaparte bei der ersten Familie der Stadt ein: im schönen Landhaus der Bethmanns am Friedberger Tor. Bethmanns humanitäres Engagement für verwundete französische Soldaten beeindruckte den Korsen so sehr, daß er Bethmanns dringender Bitte entsprach und das Gros seiner demoralisierten Truppen nicht durch die Mauern der Stadt ziehen und marodieren ließ, die damals schon vierzigtausend Einwohner zählte. Auf seinem weiten Weg zum Reichstag in Worms über den Main hatte auch Martin Luther 1521 in Frankfurt sein Nachtlager in unserer Domstadt aufgeschlagen: im Bethmannhof an der Braubachstraße. In der für die revolutionären Ideen des Protestantismus aufgeschlossenen Stadt war der große Reformator mit Jubel empfangen worden.

Durch die eigentlichen Nährstoffe des Vertrauens, durch die Tugenden Wahrhaftigkeit, Verläßlichkeit, Redlichkeit und Solidität war Bethmann schon im jungen Alter zu gesellschaftlichem Ansehen gelangt. Nachdem er dem österreichischen Kaiser Franz I. finanziell unter die Arme gegriffen hatte, wurde er in den erblichen Adelsstand erhoben, und Zar Alexander I. revanchierte sich bei Bethmann für einen Kredit in Höhe von 300 000 Livres, den dieser einem General des Zaren verschafft hatte, indem er ihn 1802 zum kaiserlich-russischen Staatsrat und zum Generalkonsul beim Rheinbund ernannte. Bethmann durfte auch den begehrten Titel Hofrat führen.

Als im Zuge der Säkularisierung die Besitztümer umverteilt wurden, hat Simon Moritz von Bethmann mit diplomatischem Geschick und guldengespickten Couverts bei den Franzosen Überzeugungsarbeit geleistet und bewirkt, daß Frankfurt bei der Verteilung des Kuchens wesentlich vorteilhafter abschnitt, als zu befürchten stand. Aber „die Not heißt alles gut, sie hebt das Laster auf“, wird sich der Bankier mit Lessing über den gelungenen Bestechungsversuch hinweggetröstet haben.

In der Einsicht, daß geistferner Reichtum elenden Ökonomismus erzeugt, haben sich Generationen der Bethmanns bis gegen Ende des 20. Jahrhunderts mit vorbildlich mäzenatischem Engagement in die Stadtgeschichte Frankfurts eingeschrieben. Simon Moritz hat die berühmte lebensgroße Skulptur Ariadne auf dem Panther (1814) aus cararischem Marmor von Johann Heinrich Dannecker dem Liebieghaus gestiftet. Er hat sich für den Fortbestand des „Comödienhauses“ eingesetzt, er hat dem „Philanthropin“ durch eine Finanzspritze zum Überleben verholfen und die Liegenschaft der „Musterschule“ gekauft. Er zeigte sich auch beim Aufbau der Stadtbibliothek großzügig. Schließlich bewahrte er ärmere Bevölkerungsschichten vor Hunger und Not, als sie nicht mehr in der Lage waren, 1816 die exorbitant überteuerten Preise für Lebensmittel zu bezahlen: Die Bethmann-Bank hat den händeringend benötigten Getreidekauf vorfinanziert und damit den betroffenen Menschen Brot gegeben.

Der angesehene Name des Bankhauses erhielt mit dem Zivilisationsbruch des Jahres 1933 einen obszönen Beigeschmack, als Moritz von Bethmann, der damalige Vorsitzende der vornehmen Frankfurter Gesellschaft für Handel, Industrie und Wissenschaft, den jüdischen Mitgliedern per Postkarte (!) mitteilte, sie seien im Club künftig unerwünscht.

Da Geschichte keinem zwangsläufigen Muster folgt, ist das Bethmann-Erbe – anders als das Bankhaus Metzler – heute nicht mehr in Familienbesitz. Nach mehreren Runden auf dem Fusionskarussell firmiert die Bank seit 2004 als Tochter der niederländischen ABN Amro unter „Delbrück Bethmann Maffei AG". So ist von der einstmals superiosen Finanz-Dynastie nicht mehr als der Name geblieben: „Ein düsterer Tag dämmert" einmal, singt Erda in Wagners kapitalismuskritischer Oper *Rheingold*.

Das „grüne" Erbe der Bethmanns dagegen gehört noch heute zu dem Teil Frankfurts, der den gestreßten Großstädter einlädt, innezuhalten und Atem zu schöpfen. Zum 100. Geburtstag Simon Moritz von Bethmanns errichtete die Stadt auf dem Gelände am Bethmannweiher, das der freigebige Bankier ihr geschenkt hatte, ein von Schmidt von der Launitz geschaffenes Denkmal. Der einstige „Bethmannsche Garten vor dem Friedberger Tor" – heute Von-Bethmann-Park – ging nach dem Zweiten Weltkrieg zum großen Teil in das Eigentum der Stadt über. 1989 wurde im Bethmannpark der chinesische „Garten des himmlischen Friedens" eröffnet.

An Bethmanns Ehefrau Louisa erinnert noch heute der gleichnamige Park und Waldspielplatz an der Mörfelder Landstraße, der sich besonders bei Familien großer Beliebtheit erfreut, die – falls sie vernünftigerweise „öffentlich" fahren – an der Straßenbahnhaltestelle „Louisa" aussteigen.

Nur einen Sommer gönnt, Ihr Gewaltigen!
Und einen Herbst zu reifem Gesange mir,
Daß williger mein Herz, vom süßen
Spiele gesättiget, dann mir sterbe.
(Friedrich Hölderlin)

8. Friedrich Hölderlin (1770–1843)

Das schönste deutsche Wort heißt Hölderlin, das bekannteste deutsche Wort trägt Goethes Namen um die Welt. Während Hölderlin nur zwei Jahre in Frankfurt lebte, hat Frankfurts größter Sohn bis zu seinem 23. Lebensjahr hier gewohnt und gedichtet. In Frankfurt haben beide mit ihrer tiefen Erlebnislyrik ihren ersten Lieben Denkmale gesetzt: Hölderlin seiner „Diotima" in seinem Briefroman *Hyperion*, Goethe seiner „Suleika" mit einem Vier-Strophen-Poem im *Westöstlichen Divan*: „Sollte diese Qual uns quälen, da sie unsere Lust vermehrt?"

Diotimas prosaischer Name war Susette Gontard, Goethes Suleika hieß unter ihrer bürgerlichen Adresse Marianne von Willemer: Auf dem Mühlberg am Sachsenhäuser Hühnerweg wurde erlebt, was damals mit der Metapher Sternstunden ins Ungewisse verlegt wurde.

Hölderlin hat von 1796 bis 1798 in Frankfurt im Hause des Bankiers Jakob Friedrich Gontard an der Bockenheimer Landstraße gelebt, dessen vier Zöglinge er als sogenannter Hofmeister in den Lebensweisheiten unterrichtete. Seine pädagogische Begabung hatte er schon an dem fünf Jahre jüngeren Mitschüler Friedrich Wilhelm Joseph Schelling erprobt, der einmal das Denkgebäude des Deutschen Idealismus errichten wird, als er ihm in Nürtingen beim mündlichen Latein geholfen hatte. Nachdem Hölderlin 1793 in Stuttgart das Konsistorialexamen bestanden hatte, debütierte er auf Vermittlung von Friedrich Schiller als Hauslehrer bei den von Kalbs im thüringischen Waltershausen.

In Frankfurt begegnete Hölderlin in Gontards schöner Gattin Susette seiner Muse, die er in seinem autobiographisch-lyrischen Briefroman *Hyperion* (1798–1800) als „Diotima" unsterblich machte. Den zum Sinnbild für Schönheit und Reinheit stilisierten Namen hat Hölderlin Platos Dialog *Symposium* entlehnt, in dem die Priesterin Diotima Sokrates in das Wesen des Eros einführt. Das erste Exemplar hingebender Liebe trug die Widmung: „Wem sonst als Dir?" Beseelt vom schöpferischen Hauch einer alkäischen Ode hat Hölderlin im feierlichen Versmaß seine Diotima besungen, als sei er so sehr der Ihre, wie er wünschte, daß sie die Seine wäre. In Diotima wird Hölderlin die unmittelbare Epiphanie des Göttlichen erfahren haben: „Es gibt ein Wesen auf der Welt, woran mein Geist Jahrtausende verweilen kann." Diotima wurde zur Metapher für ein mit allen Fasern erlebtes Glück wie am Ende, ach, auch für verglimmendes Glück. Im Juni 1802 starb Susette. Wer mag, kann den *Hyperion*-Text als einen der verwunschenen Wirklichkeit lesen.

Noch in Frankfurt hat Hölderlin das Fragment gebliebene Trauerspiel *Der Tod des Empedokles* begonnen und in antiken Versmaßen sprachgewaltige epigrammatische Oden verfaßt, deren hymnisch gehobener Ton die deutsche Lyrik revolutionieren sollte. Marcel Reich-Ranicki hat sich vor Hölderlin mit dem Satz tief verneigt, dieser habe in deutscher Sprache jene Musik geschaffen, „die aus der Seele fließt". Wer denkt dabei nicht an die unübertrefflich schöne Ode *An die Parzen*.

Zwischen Hölderlin und Bankier Gontard war es unter „demüthigenden" Umständen für den Dichter 1798 zum völligen Bruch gekommen. Nicht nur, weil Hölderlins hochgemute Verse an Diotima Gontards Verdacht einer erotischen Zuwendung bestätigten: „Ich habe

Dich gefunden / schöner als ich ahnend sah / in der Liebe reine Stunden / Hohe! Gute! Bist Du da", war sein Verhältnis zum großbürgerlichen Brotherrn von Beginn an zum Zerreissen gespannt.

Hölderlin ist aus Frankfurt, dem Ort zeitweiligen Glücks, für zwei Jahre zu seinem Freund aus Jenaer Studientagen, Isaak Freiherr von Sinclair, in den Taunus in dessen Homburger Haus gezogen. Hier hat er an seinem *Empedokles* weitergeschrieben. Obwohl eine ganz andere Erscheinung als Hölderlin, war Sinclair ihm als solitärer Denker ebenbürtig. In Homburg vor der Höhe, wo Sinclair als Diplomat in Diensten des Landgrafen von Hessen-Homburg stand, wurde Hölderlin 1804 Landgräflicher Bibliothekar. 1806 flüchtet der Dichter in eine Nervenklinik, aus der er aber bald als unheilbar wieder entlassen wird. Viele Jahre hat ihn dann die einfache Tübinger Tischler-Familie Ernst Zimmer gepflegt, bis der große Genius der schönen Poesie im „Hölderlin-Turm" am Neckar tragisch verdämmern wird. Als Hölderlin in Bordeaux einmal mit der Frage belästigt wurde, ob er an die Unsterblichkeit glaube, antwortet er sibyllinisch: Der, der er heute sei, sei nicht unsterblich; vielleicht aber der, der er vor zehn Jahren war. Unsterblich war der Dichter Hölderlin von Anbeginn in seiner Lyrik.

In seiner Frankfurter Hoch-Zeit hatte er in einem glücklich schwebenden Moment einmal gedichtet: „Frankfurt aber ist der Nabel der Erde". In einem Brief an Hegel erschienen ihm die Frankfurter dann jedoch eher als „Gesellschaftsmenschen", die er in „ihrer Steifigkeit, und Geist- und Herzensarmuth" lieber seiner aufrechten Kritik unterwarf. Diese Entfremdung war weniger seiner verbotenen Liebe zu Susette geschuldet, sie bezog sich vorzüglich auf die herablassende Art, mit der sein Brotherr Gontard den Dichter wie einen Dienstboten behandelte. Hölderlin hielt Gontard für einen typischen großbürgerlichen Unternehmer konservativer Gesinnung. Hölderlin fühlte sich „als das dritte Rad am Wagen" und durch den von Reichtum zur „Karikatur" entarteten Gontard in „unhöflichem Stolz" als „Bediensteter" herabgewürdigt. Die Höhen und Tiefen seines Frankfurter Seelenlabyrinths dürften den Wurzelgrund für seine spätere Lebenskrise gelegt haben. Am Beispiel Hölderlins wird hier deutlich, wie schwierig es ist, ein dichterisches Genie in die Miniatur von wenigen Zeilen zu rahmen.

Hölderlin hat seine wahlverwandten Freunde Hegel und Sinclair nur physisch überlebt. Geistesverwirrt ist er in die Sphären der Phantasie desertiert, bis er 1843 auf einem Tübinger Gottesacker seine selige Ruhe fand.

Peter Weiss läßt den Dichter in seinem Drama *Hölderlin* (1971) auferstehen, nicht ohne dessen soziale Problematik zu thematisieren. Weiss hinterfragt in Hölderlins Bühnenexistenz die ästhetischen Möglichkeiten des Dichters hinsichtlich einer gesellschaftlich und politisch gewandeten Realität „in reißender Zeit". Aber es war doch wohl die seelische Entladung von Innerlichkeit und Intimität im „heiligen" Akt des Dichtens, die Hölderlin zum bedeutendsten Lyriker des Jahrhunderts gemacht haben, und weniger die profanen Implimente bleierner politischer Alltäglichkeit.

Über den genialen Lyriker wird der geniale Übersetzer Hölderlin gern vergessen. In den Übertragungen der Tragödien des Sophokles klingt unüberhörbar Hölderlins Hellenensehnsucht durch; die antike Größe erhält ihre Atmosphäre erst in der melodischen Sprache Hölderlins.

In Frankfurt erinnert das Hölderlin-Denkmal des Bildhauers Hans Mettel an den Dichter. Statt eines Porträts von Hölderlin wurde ein goldbronzener Jüngling zum Sinnbild für die zerrissene schöne Seele stilisiert.

Worauf ich überhaupt in meinen philosophischen
Bemühungen hingearbeitet habe, ist die
wissenschaftliche Erkenntnis der Wahrheit.
(Georg Wilhelm Friedrich Hegel)

9. Georg Wilhelm Friedrich Hegel (1770–1831)

Es war Hölderlin, der Georg Wilhelm Friedrich Hegel, seinen Stubenkameraden aus gemeinsamen Tübinger Stiftzeiten, 1797 als Hauslehrer nach Frankfurt gelockt hatte. Hegels bis heute weiterwirkende Philosophie des deutschen Idealismus sah den Geist als die „Wahrheit alles Wirklichen“ walten. Hegel interpretiert den Staat als Hüter der „Wirklichkeit der sittlichen Idee“.

Hegels nachhaltigster Einfluß ist von seinen zwischen 1820 und 1829 gehaltenen Vorlesungen über die *Ästhetik oder Philosophie der Kunst* ausgegangen, in denen er seine Metaphysik des Schönen als „Sinnliches Scheinen der Idee“ entfaltet. Sein Denken, das auch die Tendenzen der Romantik integriert, gilt als eines der größten spekulativen Systeme der europäischen Philosophiegeschichte. Die Auseinandersetzung mit Hegel befruchtete unter anderem auch das Denken von Karl Marx und Sören Kierkegaard. Denken und Sein sind für Hegel in Wahrheit ein und dasselbe. Denn „die wahre Gestalt, in welcher die Wahrheit existiert, kann allein das wissenschaftliche System derselben sein“.

Wie Hölderlin hat sich auf dessen Empfehlung auch Hegel zum

Broterwerb drei Jahre lang als Hauslehrer verdingt, bei der vornehmen Familie des Großkaufmanns Johann Noë Gogel im Haus zur Goldenen Kette am Frankfurter Roßmarkt. „Du wirst in einem Hauße wohnen, das eines der schönsten in Frankfurt ist und auf einem der schönsten Plätze steht", hatte Hölderlin den Freund in einem Brief vom Sommer 1796 ermuntert, nach Frankfurt zu übersiedeln. Hier erfüllten sich die Wünsche des jungen Philosophen, „einen reichen literarischen Apparat, schöne Muße und begeisternden Verkehr mit gleichgesinnten Freunden" zu erleben. An seine gute Freundin Nanette Endel schreibt er aus Frankfurt, daß er hier „wieder etwas mehr der Welt gleich" sein könne. Und hier legte er den Grund für sein philosophisches Lebenswerk. So wurde vor der Wende zum 19. Jahrhundert Frankfurt zum Ort, an dem die abendländische Philosophie einen neuen Fixpunkt gewann. Nicht nur in Hölderlin und Hegel hatte der brodelnde Geist der französischen Revolution als Fanal einer großen Zeitenwende lebhaften Widerhall gefunden; auch beider Freund, der Diplomat, Lyriker und Philosoph Isaak von Sinclair war daran interessiert, die Schlagworte der französischen Revolution vom allgemeinen Enthusiasmus in eine humane Praxis hinüberzuretten. Sinclairs philosophische Position kann als Versuch einer Synthese aus Elementen der Philosophie seiner Freunde Hölderlin und Hegel gedeutet werden, worüber er in den drei Bänden *Wahrheit und Gewißheit* analytisch reflektiert. Für Hegel wiederum dürften die Diskurse der Frankfurt/Hamburger-Freundestrias Quelle für die Entwicklung Hegelschen Denkens gewesen sein. Die idealistischen Drei hatten aus der französischen Revolution persönlich die dritte Konsequenz gezogen: Fraternité.

Dieses Dreigestirn, dessen jeder einzelne als Stern am philosophischen Firmament aus sich heraus strahlt, machte als Frankfurt-Homburger „Bund der Geister" in jener Zeit deutschlandweit von sich reden. Wer das Echo dieser exquisiten Diskurse als Vorläufer der späteren Frankfurter Römerberggespräche bezeichnete, läge in seiner Würdigung nicht ganz falsch. Heute hält die Altana AG in den Diskursen im Sinclair-Haus in Bad Homburg die alte Kultur des Dialogs lebendig.

Als Dozent für die Phänomenologie des Geistes lehrt Hegel mit der Emphase des Aufklärers ab 1804 an der Alma mater in Jena, wo er mit seinem engen Freund Friedrich Wilhelm Joseph Schelling das *Kritische Journal der Philosophie* herausgibt. 1817 tritt Hegel die Nachfolge des bewunderten Johann Gottlieb Fichte an der Universität Berlin an, bei dem Hölderlin in Jena zusammen mit Sinclair studiert hatte, und über dessen System Hegel seine erste philosophische Publikation verfaßt hatte. Zum preußischen Staatsphilosophen aufgestiegen, füllt er die Hörsäle an der Berliner Universität vor allem mit Vorlesungen über die Grundlegung der Philosophie des Rechts. Die aktuelle Politik hat Hegels grenzenloses Vertrauen in die politischen Konsequenzen aus vorzüglich humanistischen Erkenntnissen nicht gerechtfertigt.

Beziehungsreich wird der welthaltigste Philosoph des deutschen Idealismus 1831 neben Fichte auf dem Berliner Hugenottenfriedhof beigesetzt.

Heine wurde neulich von jemand gefragt, worin er sich in seinen politischen Ansichten von mir unterscheide. Er antwortete: „Ich bin eine gewöhnliche Guillotine, und Börne ist eine Dampfguillotine."
(Ludwig Börne, Briefe aus Paris, Nr. 73)

10. Ludwig Börne (1786–1837)

Ludwig Börne gehörte zu den brillantesten unter den vorwärtsdenkenden kritischen Köpfen jener Phase der deutschen Geschichte, deren Ideenvorrat die Gedankenwelt einer reaktionären Gesellschaft zu revolutionieren vorbestimmt schienen.

Am 6. März 1786 geboren als Juda Löb Baruch in der Frankfurter Judengasse 118, studierte er nach der Schulzeit in Halle Medizin, in Heidelberg Nationalökonomie und Kameralistik, und in Gießen absolvierte er mit Glanz die Promotion. Der Sohn eines Finanzagenten, der die Interessen der Israelitischen Gemeinde vertrat, begann sein berufliches Leben bei der Frankfurter Polizei als großherzoglicher Aktuar, der sich gern in schneidiger Uniform mit Säbel präsentierte. Weil er Jude war und radikale Ansichten nicht für sich behielt, wurde er 1814 aus dem Staatsdienst entfernt.

Mit 32 Jahren konvertiert der Freigeist zum katholischen Glauben, so wie der Jude Heine zum Protestantismus übergetreten war; als beginnender Publizist änderte Baruch seinen Namen in Ludwig Börne, dies wohl auch, weil er nicht mit seiner Herkunft auftreten wollte, die der bloße Klang des Geburtsnamens preisgegeben hätte.

Der latente Antisemitismus argumentierte schon in vormaliger Zeit nicht mehr ausschließlich religiös, sondern auch sozial, kulturell und rassisch. Gleich seine ersten Veröffentlichungen fanden in der „Zeitschrift für Bürgerleben, Wissenschaft und Kunst", *Die Waage*, frappierende Resonanz. 1819 leitete er kurzfristig die *Zeitung der freien Stadt Frankfurt*. Seine radikal oppositionelle Kritik tarnte der brillante Essayist unter der Folie der Ironie im Feuilleton. In der politisch stark rumorenden ersten Hälfte des 19. Jahrhunderts, in der sich unaufhaltsam der Fortschritt ankündigte, rief Börne seine reaktionären Gegner auf den Plan. Es war jene Umbruchphase des „Deutschen Bundes" und der „Karlsbader Beschlüsse", die Klemens von Metternich ermutigt hatten, in überzogener Gegenreaktion die Zensur einzuführen, für Börne und andere Journalisten eine Kampfansage.

Börne hat es mit der Ausdauer einer Parze auf sich genommen, den großen Faden der Zeit in den Collageteppich einer reaktionären Politik mit kritischen Mustern zu spinnen. In seiner kristallklaren jargonfreien Diktion ist er gegen die Erosion elementarer Bürgertugenden wie Freiheit und Toleranz und gegen Maulkorb-Erlasse und Feudalismus-Tendenzen zu Felde gezogen. Börne mißfielen die starren Parteilinien, weil sie in der Politik intellektuelle Monotonie und in der Literatur schlechte Prosa erzeugten. Um so mehr bedauerte er, daß sein Bruder im Geiste, der passionierte Skeptiker Heinrich Heine, an der Wahrheit vorzüglich das Schöne liebte, Grazie und Gefühl.

In seinem bei Campe publizierten Buch *Ludwig Börne. Eine Denkschrift* (1840) polemisierte Heine respektlos gegen Börne, worüber sich später sogar Thomas Mann echauffierte. Börnes lapidare Antwort an seine Kritiker: „Aber ist es nicht schön geschrieben?"

Ludwig Börne kannte kein geringeres Ziel, als ein „Junges Deutschland" gegen das verkrustete alte errichten zu helfen. Ja, in dieser flirrenden Zeit des Ausbruchs aus intellektueller Armut in die Moderne galt Börne als eine der geistigen Speerspitzen.

Als nach der französischen Revolution im Juli 1830 eine vom Geist der Aufklärung durchpulste neue Zeitrechnung begann, sah der damals 44jährige aus der Ferne seiner Fünfzigtausend-Seelen-Gemeinde Frankfurt die europäische Metropole des Geistes leuchten: Ihn faszinierte jenes allein in Paris denkbare Gespür für Sprache und Esprit, für Kultur und Schönheit, das mit mancher Torheit versöhnte. Ein Jahr später zieht es auch Heine an den Wallfahrtsort der Intellektuellen und Künstler. Unabhängig voneinander wollten beide in Paris dabeisein und das intellektuelle Leben befruchten. An der Seine spitzte Börne seine polemisch-witzige Feder zur schneidenden Waffe der Sprache. Als deutschem Exponenten des radikalen französischen Fortschritts, umweht von Tricolore und Marseillaise, ist ihm die deutsche Sprache Heimat geblieben.

In seinen berühmten *Briefen aus Paris* (1832–1834) vertrat er die These, daß das ästhetische Moment vom politischen abgelöst und die Literatur nur mehr als Kurtisane des politischen und moralischen Fortschritts in Dienst genommen werde.

In seiner Wirkungsmacht des Wortes beglaubigte sich die Einheit von Toleranz und Aufklärung als Symbiose deutsch-jüdischer Kultur literarisch. Für Börne war die Aufklärung ein europäisches Ereignis. Für ihn war Kritik eine andere Form der Autobiographie. Er starb am 12. Februar 1837 in Paris.

Seine schönen poesievollen Erinnerungen an die Kindheit im kulturellen Millieu der Frankfurter Judengasse, die heute der Börneplatz teilweise mit Asphalt bedeckt, hat Börne schon 1807 in Frankfurt niedergeschrieben:

„Die Sonne hing brütend über die lange schmale Gasse, und mir fiel wohl ein im Schweiße meines Angesichts, wir Juden müßten doch des Himmels Lieblingskinder sein, daß es unsere Wohnung wärmer beschien als den übrigen Teil der Stadt … Um so reizender nehmen sich … die Töchter Abrahams aus, die im nachlässigsten Morgengewande … des Betrachters Auge um so reiner vergnügen, da die Anschauung ihrer Schönheit sein Herz ungefährdet läßt …“

An den geistvollen Aphoristiker und politischen Schriftsteller erinnert eine mickrige Flachtafel am Nebbienschen Gartenhaus, die sichtlich der Tiefe von Börnes Werk ermangelt. Der 1993 privat gestiftete und seit 1994 in der Paulskirche verliehene Börnepreis mit einer Preissumme von 20 000 € zeugt von einem anderen Erinnerungskaliber.

Orden sind Wechselbriefe, gezogen auf die öffentliche Meinung. Ihr Wert beruht auf dem Kredit des Ausstellers.
(Arthur Schopenhauer)

11. Arthur Schopenhauer (1788–1860)

Weil er der Cholera-Epidemie im Berliner Jahr 1831 nicht zum Opfer fallen wollte, übersiedelte Arthur Schopenhauer kurzentschlossen von der Spree an den Main, obwohl es zu dieser Zeit in Frankfurt noch keine Universität gab, an der er als Privatgelehrter seine Berliner Ethik-Vorlesungen hätte fortsetzen können.

Der 1788 in Danzig geborene Kaufmannssohn sollte eigentlich in die Fußstapfen des Vaters treten, doch Arthur fühlte sich schon früh zu Höherem berufen. Seiner Bitte, das Gymnasium besuchen zu dürfen, begegnete der schlaue Heinrich Floris Schopenhauer mit dem Alternativvorschlag: Gymnasium oder eine mehrjährige Bildungsreise durch Europa – mit anschließendem Antritt einer Kaufmannlehre. Arthur wählte die Reise, die den 15jährigen 1803/1804 durch Holland, England, Frankreich, die Schweiz, Österreich, Schlesien und Preußen führte. In Wimbledon hat er kurzzeitig die Schule besucht. Nach der kaufmännischen Lehre in Hamburg studierte er in Göttingen zunächst Medizin und dann Philosophie in Berlin, wo er Schüler von Johann Gottlieb Fichte und Friedrich Schleiermacher wurde. Seine erste wichtige Veröffentlichung *Über das Sehen und die Farben* (1815) war deutlich von Goethes Farbenlehre inspiriert.

Dreißig Jahre lang, bis an sein Lebensende wohnte Arthur Schopenhauer in Frankfurt, die meiste Zeit im Haus Nr. 16 an der Schönen Aussicht mit Blick auf den Main. An dessen Ufer führte er seinen gekräuselten braunen Pudel „Atma“ schon am frühen Morgen spazieren. Schopenhauer ergötzte der Anblick der Tiere, weil „es uns freut, unser eigenes Wesen so vereinfacht vor uns zu sehen“. Tierliebe definierte er als ein „untrügliches Zeichen für Humanität und die Lehre der Moralphilosophie“.

Schopenhauers Ethik basiert auf der Idee des Mitleids. Eine Erlösung aus einer pessimistisch gedeuteten „Welt als Wille und Vorstellung“ scheint ihm allerdings möglich durch die Künste, die seine Ideen bzw. den Weltwillen selbst veranschaulichen wie vorzüglich die Musik. Diese galt ihm als eine subtile Form des Trostes, er genoß den entspannenden Besuch von Konzerten und Opern nach des Tages Gedankenpensum. Schopenhauers Einfluß auf Richard Wagner gilt als prägend, aber auch im Werk Nietzsches und Bergsons und besonders in Sigmund Freuds Psychoanalyse finden sich Spuren seiner Erkenntnislehre und seiner Methaphysik, seiner Ästhetik und Ethik.

Kein Wunder, daß das offizielle Frankfurt lange Zeit kaum Notiz von Schopenhauers genialischem Werk nahm, da ihn selbst die Philosophenzunft zu ignorieren vorzog, die der bärbeißige Meister der beiläufigen Pointe wiederum als „Kathederphilosophen“ mutwillig geringschätzte. Den Philosophen des Weltgeistes Hegel nannte er verächtlich einen „hohlen Philosophaster“.

Erst mit seinen *Aphorismen zur Lebensweisheit*, dem Kernstück seiner berühmten *Parerga und Paralipomena* (1851), wurde ihm mit der internationalen Resonanz auch in Deutschland die verdiente Anerkennung der beamteten Profession zu teil. Das gewaltige Œuvre des Frankfurter Philosophen wurde bald als ein universales Bildungsangebot durch eifriges Lesen gewürdigt, mit Lust auf eine Lektüre vollendeter Reinheit des Stils, wie mit der Feinheit einer Präzisionsmaschine geschrieben. Die in Schopenhauers Wesen kurios personifizierte Entfremdung verhinderte Freundschaften und sensuelle Beziehungen. Er galt als Frauenfeind. Gleichwohl schien der kauzige Egoist mit einem Licht gesegnet, das solche Schattenseiten milde überstrahlte.

Beileibe kein Kostverächter, pflegte Schopenhauer im „Englischen Hof" oft und genüßlich zu speisen. Ein häufiger Gast erinnert sich an „eine wunderliche Figur", die „mit den Allüren eines Genießers den erstaunlichsten Appetit entwickelte. Taktlosen Schwätzern erteilte er gröbliche Lektionen, während er mit funkelnden Bonmots und amüsanten Einfällen aufwartete."

Als einer der bedeutendsten Philosophen unserer Kultur- und Geistesgeschichte hat er sich wenig um das Frankfurter Bürgerrecht geschert, lieber leistete er sich den bürokratischen Aufwand, alljährlich seine Aufenthaltsgenehmigung verlängern zu lassen; vielleicht ist er deshalb auch kein Ehrenbürger Frankfurts geworden: „Die Ehre ist etwas", belehrt uns Schopenhauer, „das im anderen beruht; niemand ist durch sich selbst geehrt, denn nur durch den anderen empfängt er die Ehre."

Von der Stadt geehrt wurde Schopenhauer erst 1895 durch die Errichtung eines Denkmals des Bildhauers Friedrich Schierholz, das in der Obermainanlage die Passanten kaltläßt. Dagegen hält sein umfangreicher Nachlaß in der Stadt- und Universitäts-Bibliothek als ein vielgenutzter Wissensspeicher die Erinnerung an Arthur Schopenhauers in sich abgeschlossenes vollkommenes Universum lebendig. Die Studenten ernten hier die Früchte der Hermeneutik.

Alfred Schmidt hat in seinem exellenten Buch „Tugend und Weltlauf" (2004) in der Philosophie Schopenhauers ganz neue Aspekte seines Denkens und seiner „bitteren Lebensweisheit" entdeckt.

Der Philosoph wurde 1860 auf dem Frankfurter Hauptfriedhof beigesetzt. In seiner Nähe ruhen Marianne von Willemer und Ricarda Huch. Den heutigen Streit um die unsinnige Rechtschreibreform hat Schopenhauer mit seiner Philippika gegen derlei „Unwesen" antizipiert, „welches seit einigen Jahren auf unerhörte Weise mit der deutschen Rechtschreibung getrieben wird".

Herr Hoffmann ist zu gar nichts nütz,
der macht zu allem schlechte Witz ...
(Heinrich Hoffmann über Heinrich Hoffmann)

12. Heinrich Hoffmann (1809–1894)

Wer hätte als Kind nicht im *Struwwelpeter* geblättert, jenem spannenden Bilderbuch über ein echtes Frankfurter Gewächs mit Sturmfrisur. Der Frankfurter Nervenarzt Heinrich Hoffmann hat es in Ermangelung kindgerechter Literatur geschrieben und gezeichnet, um es seinem damals dreijährigen Sohn Carl 1844 unter den Weihnachtsbaum zu legen. Rütten und Loening hat das Kinderbuch später verlegt, das inzwischen in fast alle Kultursprachen der Welt übersetzt wurde und mit einer Gesamtauflage von über 15 Millionen Exemplaren den Frankfurter Autor weltberühmt gemacht hat. *Struwwelpeter* wurde sogar ins Lateinische übersetzt.

Der grandiose Start des *Struwwelpeter* mit raschem Erfolg auch in außereuropäischen Kulturkreisen verdankt sich der Wahl der ebenso launig-unterhaltsamen wie subtil belehrenden zeichnerischen und literarischen Mittel. Hoffmann fokussiert seinen durchgehend sympathisierenden Blick auf die diversen Unarten und Macken des negativen Exempels, die der Autor durch Übertreibung satirisch emotional veranschaulicht, aber ohne damit dessen Sympathiewert als Außenseiterfigur einzuschränken. Die Kinder identifizieren sich mit dem

„Helden", indem sie die Quote seiner Untugenden auf sich selbst bezogen als übertrieben reflektieren. Satire und Ironie überschreiten bei Hoffmann nie die Grenzen zum Sarkasmus: „Es ging spazieren vor dem Tor / ein kohlpechrabenschwarzer Mohr / Die Sonne schien ihm aufs Gehirn / da nahm er einen Sonnenschirm."

1803 in Frankfurt geboren, hat Heinrich Hoffmann in Halle, Heidelberg und Paris Medizin studiert. Nach der Approbation 1835 assistierte er als Armenarzt zunächst in einer befreundeten Praxis, um dann in der Senckenbergischen Anatomie ein Lehramt für Pathologie zu übernehmen. Der Ethik des Hippokrates verpflichtet, schwebte ihm schon in jungen Jahren die Gründung einer Klinik für Geisteskranke vor, die man damals noch ungeniert Irrenanstalt nannte. Die sonst wie Aussätzige behandelten Patienten sollten in ihrem unverschuldeten mentalen Elend hier menschenwürdig behandelt und gepflegt werden.

Die Klinik entstand trotz Desinteresses der Stadt in einem medizintechnisch modernen Neubau am Affenstein, dort wo heute das IG-Farben-Hochhaus prunkt und die Alma mater beherbergt. Hoffmann zog samt Familie dorthin, wo er bis zum 80. Lebensjahr als Arzt und Psychiater, als Menschenfreund und Altruist aktiv war. Der tätige Humanist starb „an des Jahrhunderts Neige" mit 85 Jahren in der Stadt seiner Geburt.

Hoffmanns Nachlaß verwahrt und betreut das 1977 von Gerhard Herzog aus eigenen Mitteln eingerichtete Struwwelpeter-Museum im Hause Hochstraße 45, in dem Hoffmann von 1851 bis 1859 lebte und sein *Breviarium der Ehe* sowie die Kinderbücher *König Nußknacker* und *Bastian der Faulpelz* schrieb. Unvergessen sind Hoffmanns einzigartige Figuren mit so kauzigen Namen wie Zappelphilipp, Hans Guck-in-die-Luft, Friederich der Wüterich oder Suppenkasper.

Es ist eine Eigentümlichkeit royalistischer Gesinnung,
daß ihren Träger, auch wenn er sich bewußt ist,
die Entschließungen des Königs zu beeinflussen, das Gefühl
nicht verläßt, der Diener des Monarchen zu sein.
(Otto von Bismarck)

13. Otto von Bismarck (1815–1898)

Die Freie Stadt Frankfurt am Main wurde auf dem Wiener Kongreß 1815 zum Zentrum der Bundesgewalt auserkoren. Entsprechend war hier von 1816 bis 1866 auch der Sitz des Deutschen Bundestages, jener alleinigen gemeinsamen Institution aller zerstrittenen deutschen Staaten. Frankfurt durfte sich fünf Jahrzehnte lang rühmen, der politische Nabel dieses deutschen Staatenbundes zu sein. Später wird Konrad Adenauer 1949 mit seiner Stimme verhindern, an die Geschichte anzuknüpfen und Frankfurt zur Hauptstadt der Bundesrepublik zu wählen.

Obwohl Otto von Bismarck schon als 36jähriger preußischer Gesandter am Frankfurter Bundestag tätig wurde und in den Mauern der Stadt acht lange Jahre, 1851 bis 1859, zunächst in der Hochstraße und später in der Großen Gallusstraße mit seiner Frau Johanna und ihren Kindern Bill und Marie wohnte, spielt der spätere Reichskanzler in den Annalen Frankfurts keine auffällige Rolle. Der Bundestag des Deutschen Bundes beriet sich im Rundsaal des barocken Palais des Fürsten Anselm Franz von Thurn und Taxis an der Großen

Eschenheimer Gasse. Das Palais hatte 1732–1741 der Pariser Architekt Robert de Cotte erbaut; es diente ursprünglich dem Erblichen Generalpostmeister des Kaiserreiches Thurn und Taxis. In seiner diplomatischen Mission strebte Bismarck hier gegen den Willen der österreichischen Präsidialmacht die Gleichberechtigung Preußens an, um dessen Vorherrschaft nördlich des Mains zu festigen.

Keine drei Jahre nach seiner Frankfurter Zeit avancierte Bismarck unter König Wilhelm I. zum Ministerpräsidenten und ränkeschmiedenden Außenminister. Bismarcks nur schwer zu zügelnder Herrschernatur trug der Monarch Rechnung, indem er „den tollen Junker" aus altmärkischem Adel unmittelbar sich selber unterstellte anstatt – wie es formal üblich gewesen wäre – dem Reichstag. Bismarck, der aus Anlaß des Frankfurter Fürstentags 1863 noch einmal eine längere Zeit am Main tätig wurde, verfocht angesichts eines nationalistischen Partikularismus der Kleinstaaterei konsequent die nationale Einheitsidee, selbstverständlich unter preußischer Standarte. Nachdem sich Preußen durch Helmut von Moltkes entscheidenden Sieg über die Österreicher und Sachsen am 3. Juli 1866 als Führungsmacht auf deutschem Territorium durchgesetzt hatte, ließ der gern in Kürassieruniform posierende Eiserne Kanzler Frankfurt marmorkalt annektieren.

Der „Frankfurter Frieden" von 1871 zwischen Frankreich und Deutschland wurde von Bismarck und Jules Favre im Hotel „Zum Schwanen" am Steinweg unterzeichnet. Auf die Annexion Frankfurts durch den Preußischen Staat anspielend, formulierte er anläßlich der Verlesung der preußischen Proklamation am 8. Oktober 1866 im Römer den „schönen Gedanken, daß der erste große politische Akt des wiedererstehenden Deutschen Reiches gerade in Frankfurt, der alten deutschen Kaiser- und Krönungsstadt sich hat vollziehen können. Ich wünsche von Herzen, daß der Friede von Frankfurt auch den Frieden für Frankfurt und mit Frankfurt bringen werde". Mit seiner Unterschrift hat Bismarck das im Vorfrieden von Versailles erst kurz zuvor begründete Reich sogleich mit einer bleiernen Hypothek belastet, indem er, januskköpfig von seltenem Rang, gegen den Willen der Bevölkerung die Abtretung des Elsaß und Lothringens an Deutschland besiegelte.

Bismarcks politisches Charakterbild schwankt im Urteil der Geschichte zwischen Blut- und Eisenpolitik und Reformwerk, zwischen Hegemonialstreben und gelungenem Ausbau einer Rechtskultur und Wirtschaftseinheit, zwischen seinem geradezu fanatischen „Kulturkampf" gegen die politische Einmischung der katholischen Kirche und seiner in Europa beispielhaften, großen Sozialgesetzgebung in den achtziger Jahren, mit der er den Arbeiter in die Staats- und Gesellschaftsordnung zu integrieren hoffte. Diese sozialpolitische Bilanz konterkariert Bismarck gleichzeitig aber wieder durch eine eiserne Repression der Arbeiterbewegung, die im berüchtigten „Sozialistengesetz" von 1878 ihre ultimative Fratze zeigte. Andererseits ist es Bismarck gelungen, durch die Aufrechterhaltung einer starken Streitmacht, durch Bündnisse mit Österreich und Italien sowie durch freundschaftliche Beziehungen zu Rußland den Bestand des Reiches zu sichern.

Obwohl Bismarck wie nur wenige andere ein wichtiger Teil der Frankfurter Geschichte wurde, ist eine Ehrenbürgerwürde nie erwogen worden. Als kleine Entschädigung wurde 1908 in der Großen Gallusanlage ein Bismarck-Denkmal aufgestellt, das den Fürsten als die Zügel einer reitenden Germania fest im Griff haltenden Staatslenker porträtiert. In der Tat galt Bismarcks Denken dem Staatsganzen. Das Kunstwerk wurde 1940 als Metallspende der Stadt Frankfurt zu Hitlers Geburtstag eingeschmolzen und in Form von martialischen Kanonenkugeln kriegsverwendungsfähig recycled.

Bismarck war einer der wenigen großen literarischen Köpfe der deutschen Politik. In seinen *Gedanken und Erinnerungen* (1898) bilanziert er nicht nur sein umfassendes historisches Werk, sondern demonstriert notwendige Tiefenschärfe. Inwieweit diese Autobiographie die Wirklichkeit verzerrt, um dem Leser die Version Bismarcks von den Ereignissen als historische Quelle „aus erster Hand" zu verkaufen, sei dahingestellt. Denn „ein guter Redner muß etwas von einem Dichter haben, darf es also mit der Wahrheit nicht ganz mathematisch genau nehmen" (Bismarck). Heutige Politiker könnten sich an Bismarcks *Gedanken und Erinnerungen* jedenfalls insofern ein Beispiel nehmen, als darin seine nachlesenswerten Antworten an Kaiser Wilhelm II. Aufschluß geben über seine hohe Gedankenkunst. Für dieses Werk erhielt er zum Neid von Wilhelm II. den Orden Pour le mérite. Kein Geringerer als Theodor Fontane bewunderte die Grandezza Bismarckscher Rhetorik. Sprache war für Bismarck ein Herrschaftsinstrument.

Es is kaa Stadt uff der weite Welt
Die so merr wie mei Frankfort gefällt
Un es will merr net in de Kopp enei:
Wie kann nor e Mensch net von Frankfort sei!
(Friedrich Stoltze)

14. Friedrich Stoltze (1816–1891)

Nachdem Vater Stoltze, der populäre Wirt „Zum Rebstock", einem vielfrequentierten Treff radikaler Demokraten, seinen Sohn Friedrich 1832 zum „Hambacher Fest" mitgenommen hatte, erinnert der 15jährige das aufregende Erlebnis gleich in seinem allerersten Gedicht. Im ersten Chaos seines Entwurfs erlebte der junge Friedrich nicht gleich das Glück der Vollendung, aber des Entstehens. Friedrichs Schwester Annett soll beim Sturm auf die Konstabler Wache „konspirativ" beteiligt gewesen sein, und es heißt, auch bei der Befreiung der Gefangenen 1833 sei sie mit von der Partie gewesen mit dem Kampfruf: „Fürsten zum Land hinaus!"; wegen soviel frecher Frevelei wurde sie zu einem Monat Arrest verdonnert.

Im Jahr der ersten deutschen Bundesversammlung 1816 am 21. November in Frankfurt geboren, versuchte Friedrich nach der Schule und dem Besuch der Fröbelschen Lehranstalt seine kaufmännischen Kenntnisse in der Handelsstadt Lyon insofern vergeblich zu erweitern, als er in seiner schreibenden Naturbegabung frühzeitig seinen eigentlichen Lebenssinn erkannte: Schreiben, Fabulieren und Dichten. In der satirischen Kommentierung der Gesellschaft machte er seine Berufung zum Beruf. Schon die frühen Gedichte hat Friedrich Stoltze in Frankfurter Mundart verfaßt. Der 1841 erschienene erste Gedichtband des 25jährigen faszinierte die Kritiker. 1852 gab er die *Frankfurter Krebbel- und Warme-Bröderscher Zeitung* heraus, die er als eine Art Scherzpoesie unter die Leute brachte, die aber die Texte für bare Münze nahmen.

Zeitweise protegiert von Marianne von Willemer, die ihn mit der Tugend ihres Namens stützte, gab Stoltze 1860 jene Zeitschrift heraus, für die er berühmt werden sollte: die politisch-satirische *Frankfurter Latern.* Abgründig obrigkeitsfeindliche Texte camouflierte er mit populärem mundartlichen Surplus der Satire; mit Karikaturen von Ernst Schalck zog er zu Felde gegen Politik und Reaktion, insbesondere gegen Preußen und Bismarck, gegen dessen Sozialistengesetz und gegen Antisemitismus. Die Probenummer des *Deutschen Latein* vom 23. Oktober 1870 hatte Wilhelm Busch illustriert, der zeigte, „wie man Napoleums macht". Wilhelm Busch hat übrigens 1868 bis 1872 produktive Jahre in Frankfurt zugebracht; wie Hölderlin dichtete er als heimliche Geliebte die Gattin eines Bankiers an, Johanna Kessler. In Frankfurt hat er auch die Idee für *Die fromme Helene* entwickelt.

Der „Libero des Liberalismus" Stoltze sah sich zeitweise gezwungen, ins Exil abzutauchen. Mit kalkulierter Respektlosigkeit wie mit seinem Motto „Frisch von der Lewwer und Freiheit for ever" provozierte Stoltze süffisant die politische Reaktion, die ihn mit Prozessen und Haftbefehlen mores lehrte. Er fühlte sich in der Rolle eines Kundschafters in den Irrsalen städtischer Wirrnis jedenfalls wohl. Abgesehen von wenigen zwangsläufigen Reisen hat Stoltze sein Leben lang seine Vaterstadt nicht verlassen. Hier ist er am 28. März 1891 gestorben.

„Frankforterisch" und Stoltze sind zum Synonym verschmolzen. Der Dichter hat im Pakt mit dem Leser die Mundart literaturfähig gemacht. Goethe hielt die Mundart für ein Element, „in welchem die

Seele ihren Atem schöpft.“ Stoltzes Wirkung ging aber über die Grenzen der Mundart hinaus.

An Stoltze erinnert nicht nur der privat gestiftete Stoltze-Preis, sondern auch das heimelige Stoltze-Museum in der Töngesgasse und das Stoltze-Denkmal von Otto Schierholz auf dem Hühnermarkt.

Bisherige Träger des Stoltze-Preises sind folgende Frankfurter:

Philipp Freiherr von Bethmann, Jutta W. Thomasius, Hilmar Hoffmann, Liesel Christ, Carlo Giersch.

Concordia, industria, integritas.
(Maxime des Bankhauses Rothschild)

15. Mayer Carl von Rothschild (1820–1886)

Das Bankhaus Rothschild wurde im Jahre 1766 von dem legendären Mayer Amschel Rothschild (1744–1812) in Frankfurt am Main gegründet. Während der älteste Sohn Anselm (1773–1855) das Frankfurter Stammhaus in der Judengasse (seit 1885 Börnestraße) übernahm, errichteten seine Brüder Salomon (1774–1855), Nathan (1777–1836), Carl Mayer (1788–1855) und James (1792–1868) miteinander dicht vernetzte selbständige Banken in Wien, London, Neapel und Paris. Ihre orbitale Lust hat die Rothschilds damals schon über die Enge des Frankfurter Gesichtskreises hinaus denken lassen.

Nach den napoleonischen Kriegen arbeiteten die Rothschilds eng mit Metternich zusammen und seitdem dominierte das Rothschildsche Bankenimperium das Anleihegeschäft der stark überschuldeten europäischen Staaten; mit dieser enormen Machtfülle gewannen die Rothschilds zugleich erheblichen politischen Einfluß: Sie sind die Bankiers der antinapoleonischen Koalition geworden. Von 1820 an gingen die meisten aller Großanleihen durch ihre Hände. Die fünf Brüder trafen sich alljährlich in Frankfurt, um die Bilanzen abzustimmen und eventuell gelockerte Familienbande wiederaufzufrischen.

Die Rothschilds galten damals als die reichste Familie der Welt – und die besten Steuerzahler: Mayer Amschel Rothschild zum Beispiel hatte im Jahre 1810 die höchste Steuer von 5000 Gulden an die Stadt Frankfurt zu entrichten. Der Dichter Wilhelm Hauff wird später in seinem Buch *Memorien des Satans* (1826) das Frankfurter Börsengeschäft und die Rolle der Rothschilds zum spannenden Thema machen. Bis zum Ersten Weltkrieg brachten es die Frankfurter Rothschilds auf ein Vermögen von hundert Millionen Goldmark. Arm war man seinerzeit in Frankfurt allerdings ohnehin nicht: In jenen prosperierenden Jahren lebten dreihundert Goldmark-Millionäre in der Stadt. Heute ist die Frankfurter Wertpapierbörse die größte in Deutschland.

Die Rothschilds wußten sich ihren eigenen Legitimationsmythos zu schaffen. Sie seien „mit einem bewunderungswürdigen Instinkt begabt, der sie immer die richtige Entscheidung treffen läßt, und von zwei richtigen Entscheidungen die bessere", lobte der Publizist Friedrich von Gentz (1764–1832).

Instinktbegabt war besonders Nathan in London, der gewiefteste unter den Brüdern und von diesen gern als „General" des Familienunternehmens tituliert. Im Troß Napoleon Bonapartes hielt er ständig Kuriere auf Trab, die ihn unter anderem per Brieftaubenpost über den Kanal hinweg über den jeweils aktuellen Stand der Dinge auf dem laufenden hielten. Dadurch war Rothschild der Zeitungsaktualität immer um viele Nasenspitzen voraus. So war mit Hilfe der Brieftaube der Londoner Zweig der Rothschilds schon frühzeitig über des Korsen verlorene Schlacht bei Waterloo informiert – drei Tage vor der britischen Regierung und den Gazetten. Wie die Legende weiter besagt, stieß die Rothschild-Bank augenblicklich alle französischen Wertpapiere ab, nicht ohne vorher die Falschmeldung lanciert zu haben, Napoleon sei auf siegreichem Kurs. Umgehend kaufte das Londoner Bankhaus englische Staatspapiere auf, die daraufhin zu extrem niedrigen Kursen gehandelt wurden. Nachdem endlich die verläßliche

Nachricht über Napoleons Waterloo bekannt geworden war, kletterten die Kurse der englischen Papiere steil nach oben und bescherten den Rothschilds unermeßliche Spekulationsgewinne.

Salomon und James Rothschild waren bei der Finanzierung der ersten Eisenbahnen mit von der Partie, besonders wußten sie auf den Gleisen von Österreich und Frankreich die richtigen Weichen zu stellen.

1820 in Frankfurt geboren, hatte Mayer Carl von Rothschild zunächst Rechtswissenschaften in Göttingen und Berlin studiert und im Bankhaus seines Vaters Carl Mayer in Neapel das Handwerk erlernt. Von seinem Frankfurter Onkel Anselm, der kinderlos geblieben war, kurzerhand adoptiert, übernahm Mayer Carl – inzwischen mit seiner Cousine Louise, einer Tochter des Londoner Onkels Nathan, verheiratet – 1855 zusammen mit seinem Bruder Wilhelm das Frankfurter Stammhaus mit einem Grundkapital von 60 Millionen Gulden.

Baron Rothschild zählt zu den bedeutendsten und – beileibe keine Selbstverständlichkeit – zugleich beliebtesten Persönlichkeiten im Frankfurt des 19. Jahrhunderts. Wie seine Vorfahren diente er nicht allein dem schnöden Mammon. Er vertrat seine Heimatstadt im Parlament des Norddeutschen Bundes, wurde auf Lebenszeit ins Preußische Herrenhaus berufen und war Abgeordneter im Frankfurter Stadtparlament. Als nach dem Sieg der Preußen bei Königgrätz 1866 Frankfurt zur preußischen Stadt erklärt wurde und eine sogenannte Kontribution in Höhe von 25 Millionen Gulden fällig war, ist Rothschild umgehend mit einer Delegation in Berlin vorstellig geworden, um erfolgreich über einen Nachlaß zu verhandeln. Die Bevölkerung schätzte „'s Bareenche", wie er von vielen genannt wurde, vor allem als großzügigen Wohltäter und Mäzen; sie verdankt ihm erkleckliche Namenstiftungen. Seine Kunstsammlung, eine der bedeutendsten in Frankfurt, ging nach seinem Tode in den Besitz der Stadt über; seine Tochter Hanna Louise begründete die „Freiherrlich Carl von Rothschild'sche Bibliothek", die den Grundstock beim Neuaufbau der Stadt- und Universitätsbibliothek bildete. Das 1821 von Johann Gottfried Hess im klassizistischen Stil errichtete Rothschild-Palais am Untermainkai 14, das Mayer Carl 1846 gekauft hatte, beherbergt seit 1988 nach entsprechenden Umbauten das Jüdische Museum.

Als Mayer Carl von Rothschild im Oktober 1886 zu Grabe getragen wurde, folgten Tausende dem Trauerzug vom Rothschildschen Palais zum jüdischen Friedhof. Sein Grabstein trägt einen Spruch aus dem Alten Testament: „Durch Weisheit wird ein Haus gebaut und durch Verstand erhalten". Indes, gegen die Zeitläufte kann zuweilen der beste Verstand nichts ausrichten: Als mit den Strukturen der boomenden Großindustrie auch die großen Universalbanken in der Rechtsform der AG ihre mächtigen Konkurrenzkulissen aufgebaut hatten, verloren die Privatbanken und darunter besonders das Haus Rothschild außer in Großbritannien allmählich ihren Einfluß. Von London aus gelang es den Rothschilds, den Kauf des Suezkanals zu finanzieren: Dieser Coup sollte sich als sichere Einnahmequelle amortisieren. Dagegen stürzte Rothschilds Frankfurter Niederlassung nach dem Tode Baron Willys, dem letzten Frankfurter Rothschild, 1901 ins Nichts und verglühte.

Mayer Carls Bruder Carl Wilhelm von Rothschild (1828–1901) hatte die Geschäfte noch anderthalb Jahrzehnte weitergeführt. Mit ihm erlosch zugleich das Stammhaus der Rothschilds. Ein beträchtlicher Teil des historisch unschätzbaren Firmenarchivs landete zum Schutz der Kunden in der Papiermühle.

Nachzutragen bleibt eine pikante Frankfurter Petitesse: Nach dem Friedensschluß von Versailles 1871 bewarb sich Baron Mayer Carl von Rothschild als Mitglied der Konservativen Partei um ein Mandat im deutschen Reichstag. Sein demokratischer Widerpart war ausgerechnet der Gründer der linksliberalen *Frankfurter Zeitung*, Leopold Sonnemann. Der Baron unterlag.

… dürfte dies arme Frankfurt nicht gerade von Ihnen
auf ein wenig Schonung und Nachsicht hoffen?
(Emma Metzler an Bismarck)

16. Emma Metzler (1827–1880)

Bismarck hat in seiner langen Frankfurter Zeit rege am gesellschaftlichen Leben der alten Reichsstadt teilgenommen. Er verkehrte regelmäßig auch im eher bürgerlichen, antifeudalistisch geprägten Milieu des Salons von Privatbankier Wilhelm Peter Metzler und dessen Frau Agnes Pauline Emma. Sie war eine geborene Lutteroth, die ihm 17-jährig angetraut worden war. Im kunstbestückten Salon der quirligen Emma tauschte nicht nur die ästhetisch gebildete *crème de la crème* ihre unterschiedlichen Kunstwahrnehmungen aus. Er war auch ein Treffpunkt für die führenden Köpfe aus Wirtschaft und Politik. Für viele eine Art geistige Wärmestube, dürfte mancher hier im Lichte seiner Irrtümer auch zum Schatten geworden sein. Emmas heimliche Verehrer werden sich gefragt haben, wie jemand in dieser häßlichen Welt so viel Schönheit verströmen konnte wie sie.

Zwischen der ebenso charmanten wie geistreichen Emma und Otto von Bismarck entwickelte sich eine solide Freundschaft, die sich am Ende als für Frankfurt außerordentlich nützlich erweisen sollte. Der Kontakt war über Emmas Mutter entstanden, Charlotte Lutteroth. Fast alle Mitglieder des Bundestages, während des Fürstentages viele deutsche Fürsten, später auch König Wilhelm I. und, während seiner Gesandtschaftstätigkeit in Frankfurt, Otto von Bismarck gehörten zu ihren Gästen. An seine Frau schrieb Bismarck im Jahre 1858: „Vorgestern war ich in drei Uniformen und am Abend noch als Mensch auf einem Ball bei der Lutteroth." Gerade in ihrem Kreis hielt Bismarck sich häufig auf wie auch später bei ihrer Tochter Emma Metzler-Lutteroth. In seinem Briefe vom 26. November 1856 schrieb er, wie gern er in Frankfurt „gemetzlert" hätte.

Emma korrespondierte mit großer Vertrautheit mit dem inzwischen in höchste Staatsämter aufgestiegenen Bismarck, der die Herzensergüsse der schönen Emma aus der Eschenheimer Gasse in kapriziöser Laune erwiderte:

„Ihre Photographie kam mir leider nicht unversehrt vor Augen; Sie hatten mit klebender Tinte geschrieben und das Bild in den Brief gewickelt. Es war leider nicht möglich, beide Gegenstände zu trennen, ohne Ihrem Ebenbilde einen großen Teil der Kleidung zu entreißen, welche die Reize des Originals sittsam verhüllt hatte; doch ist der Abglanz der Gesichtszüge, deren Anblick das Dasein der Frankfurter verschönert, unversehrt geblieben und ähnlich genug, um die Erinnerung an frohe Tage zu beleben. Ihre Mitteilungen über die politische Aufregung im liebenswürdigen Mainstädtchen habe ich mit großer Teilnahme gelesen; hoffentlich wird seitdem der Durst nach Blut, dem nach Aeppelwein wieder etwas von seinem natürlichen Recht eingeräumt haben. Von hier, aus dreihundert Meilen Entfernung, sehen sich die Sachen kaltblütiger an und man gewöhnt sich, die Politik mit mehr Ruhe und Höflichkeit zu behandeln als in der Eschenheimer Gasse ..." (19. Juni 1859).

Als sich während der Besetzung Frankfurts am 16. Juli 1866 durch die Preußische Mainarmee unter General Vogel von Falkenstein sich auch die finanzielle Lage gefährlich zuspitzte, weil Frankfurt eine Kontribution von 25 Millionen Gulden an die Preußen nicht zahlen konnte, schrieb Emma Metzler am 3. September 1866 einen Brandbrief an Bismarck, der seine Wirkung nicht verfehlen sollte:

„Ich bin namenlos traurig und tief gedrückt, daß die Verfolgung unserer armen Stadt Frankfurt noch immer fortdauert. Sie wurde furchtbar heimgesucht, ich darf nicht daran zurückdenken, welch schreckliche Stunden ich selbst durchlebte, die Opfer, die uns materiell auferlegt wurden, haben schon tiefe Wunden geschlagen; dürfen, sollen aber diese ungeheuren Kontributionen an Lebensmitteln und Kleidungsstücken noch immer andauern, müssen wir denn noch immer Opfer bringen und soll durch diese immer vergrößerten Ausgaben auch der letzte Schimmer von Wohlstand für Frankfurt verloren gehen? … Hat die Erinnerung kein Anrecht auf Ihr Herz, dürfte Frankfurt, wo Sie 8 Jahre lebten, wo Ihr kleiner Bill geboren – wo Ihre liebe kleine Marie so gerne war, wo Ihre Frau von Bismarck so hoch geschätzt und geliebt wurde, wo sie selbst, wie ich immer hoffte, für Einige ein herzliches, freundliches Gedenken bewahrten – dürfte dies arme Frankfurt gerade von Ihnen nicht auf ein wenig Schonung und Nachsicht hoffen?"

Der damalige letzte regierende Bürgermeister der Freien Reichsstadt Frankfurt, Carl Constanz Victor Fellmer, hatte sich am 20. Juli 1866 das Leben genommen, nachdem ihm am selben Tag jener ultimative Kontributions-Befehl des Oberkommandierenden der preußischen Rheinarmee Generalfeldmarschall Edwin Freiherr von Manteuffel auf den Schreibtisch geflattert war: „Euer Hochwohlgeboren werden aufgefordert, zu veranlassen, daß eine Kriegs-Contribution von Fünf und Zwanzig Millionen …" Verletzlich wie ein Libellenflügel soll Emma Metzler ob der schlimmen Nachricht über den tragischen Selbstmord Fellmers bitterliche Tränen vergossen haben. Die beiden Bürgermeister Fellmer und Müller hatten die in der Stadt öffentlich angeschlagene Bekanntmachung Manteuffels mit dem Zusatz versehen: „Die Bürgermeister Müller und Fellmer erklären, daß sie lieber zu sterben bereit sind, als bei der Ausplünderung ihrer Mitbürger Beihilfe zu leisten."

Im Februar 1867 wandte sich Emma erneut an Bismarck und legte ihm die Rückerstattung der Frankfurt aufgebürdeten Kontribution von 6 Millionen Gulden nahe, zu einer Zeit, als die Forderung der weiteren Kontribution von 25 Millionen Gulden noch nicht erfüllt war und diese phantastische Summe wegen Frankfurts Weigerung sogar auf 35 Millionen Gulden erhöht werden sollte. Daß diese weitergehenden Forderungen schließlich fallengelassen wurden, dürfte nicht zuletzt auch Emma Metzlers mit burschikosem Liebreiz vorgetragener Intervention zu verdanken sein.

In seinem Brief vom 7. März 1867 avisierte Bismarck Emma Metzler, daß er „aber nicht müßig gewesen [sei], im Interesse Ihres ‚armen' Frankfurt, und hoffe, daß sich dort alles zur Zufriedenheit ergeben wird. Wie sollte ich nicht eine freundliche Gesinnung für eine Stadt bewahrt haben, wo ich so glückliche Zeiten verlebt und so viele liebe Leute gekannt habe. Ich tue was ich kann, nachdem die Sachen einmal in ein schlechtes Geleis geraten waren, und mit Rücksicht auf Ihre beredte Fürsprache täte ich gern mehr als ich kann."

Bismarck hatte auf die Vorstellungen seiner Frankfurter Freundin, was zunächst bei seinem wirklichen oder vorgetäuschten Zorn auf Frankfurt undenkbar erschien, Frankfurter Deputierte in Berlin empfangen und sich ihnen gegenüber zu dem Bekenntnis herbeigelassen: „Seien Sie überzeugt, meine Herren, Preußen wird für Frankfurt, das es als eine Perle in seiner Krone ansieht, tun, was in seinen Kräften steht." Und wirklich wurde die Frage der Kontribution auch für Frankfurt sehr zufriedenstellend geregelt. Unermüdlich schrieb Emma Metzler Briefe zugunsten Frankfurts nach Berlin, selbst an den König. Dabei beschränkte sie sich nicht eigentlich auf die neutrale Funktion des Vermittlers, sondern suchte der Gegenseite fast immer die Maximal-Forderungen Frankfurts schmackhaft zu machen. Die Preußen scheinen ihr ihre Einmischung jedoch nicht übelgenommen zu haben.

Jedenfalls bestand die Verbindung zum Hause von Bismarcks fort, und bei den Friedensverhandlungen nach 1871 war Bismarck wiederholt Gast im Metzlerschen Haus.

1869 erstattete Preußen der Stadt Frankfurt 6 Millionen Gulden, inklusive drei Millionen Gulden Entschädigung, wovon der preußische König ein Drittel aus seiner Privatschatulle übernahm. Nach einem längeren Briefwechsel setzte sich in Preußen die Vorstellung durch, daß es langfristig viel gewinnbringender sei, die Frankfurter als Freunde an sich zu binden als sich an den umfangreichen Reparationen zu berauschen.

Gatte Wilhelm Peter Metzler, der Emma überlebte, lenkte zwischen 1844 und 1883 als deren Partner die Geschicke der Metzler-Bank. Er war ein bedeutender Sammler und hat mit seiner Kollektion den Grundstein für das heutige Museum für angewandte Kunst gelegt.

Vor dem Hintergrund von Bismarcks Kriegspolitik hat Alexandre Dumas im Sommer 1867 mehrere Monate aus Frankfurt für französische Gazetten berichtet. In den Salons der gehobenen Gesellschaft war der Autor der *Kameliendame* ein gerngesehener Gast. Seine Artikelserie über Frankfurt ist ein wichtiges Dokument über jene Turbulenzen, von denen die Stadt in dieser Zeit heimgesucht wurde. Erst im Jahre 2004 ist Dumas' Serie als Roman unter dem Titel *Der Schleier am Main* auf deutsch erschienen. In der darin als unglücklich gezeichneten Figur der fiktiven Emma von Bülow hat Dumas der realen Emma Metzler ein literarisches Denkmal gesetzt. Dumas hat in seinem Roman auch aus Emmas Briefen an Bismarck zitiert.

Nur hier in dem etwas realistisch angehauchten Frankfurt fand ich Freunde, die mehr als bloß platonische Liebe für mich hatten. Freunde, deren Vertrauen in mich mir gewinkt hat. Frankfurt hat doch auch seine verschiedenen Seiten: Es steckt eigentlich doch – vielleicht versteckter als anderswo – etwas solid Deutsches in Frankfurt.
(Hans Thoma)

17. Hans Thoma (1839–1924)

Hans Thoma, der große Maler frischer Porträts und stimmungsträchtiger Landschaften, hat zwischen 1877 und 1899, also fast ein Vierteljahrhundert lang, in Frankfurt am Main gelebt und schaffensfroh gewirkt. Thoma hat auf Einladung von Cosima Wagner auch Kostüme für den Bayreuther „Ring" entworfen. Thoma wohnte so lange in der Frankfurter Lersnerstraße, bis der populäre Maler genügend Geld verdient hatte und sich ein eigenes Haus in der Wolfsgangstraße Nr. 150 leisten konnte.

Um ins ländliche Ambiente auszuweichen, sooft die Natur ihm Modell sitzen sollte, hatte der Müllersohn aus dem Schwarzwälder Bernau eine Oberurseler Zweitwohnung gemietet. Hier im Taunus inspirierte er den „Kronberger Malerkreis" mit seinem realistischen Stil des Klassischen Formalismus und mit seinem Flair einer biedermeierlichen Gemütlichkeit, dem seine typischen bäuerlichen Figurenbilder ihr Markenzeichen verdanken.

Thomas zeitweise Hinwendung zu mythologischen, anekdotischen und allegorischen Bildern gegen Ende seiner Frankfurter Schaffensperiode nach dem Muster eines Arnold Böcklin darf wegen ihrer Nähe zum allzu Gefälligen ästhetisch problematisch genannt werden, wobei die bis dahin gerühmte Einheit von Form und Inhalt auf befremdliche Weise verlorenging. Das Abendrot über den Taunusfeldern darf den Bildern nicht die einzige Wärme liefern.

Diese kurze Phase der stilistischen Unsicherheit trübt jedoch nicht den Glanz seiner souveränen Malkunst. Seine Wandbilder mit tanzenden Frauen und Wasserfeen im Frankfurter Haus Ravenstein waren viel bewundert. Die Frankfurter Künstler schätzten ihren berühmten Kollegen besonders wegen seiner bedeutenden Lithographien. 1898, als sich die hedonistische Fin-de-siècle-Stimmung etwas zu legen begann, wählten sie ihn zum Präsidenten der Künstlergesellschaft.

Der liebenswürdige Thoma saß als amüsanter Causeur bald bei der ehrenwerten Frankfurter Gesellschaft selbstverständlich mit am Tisch, die er „als angenehme Menschen" charakterisierte. Viele seiner Bilder von großer Tonschönheit und herber Charakteristik wie *Offenes Tal* (1872) oder *Henry Thode* (1890) sind im Städel zu bewundern – als die Zeiten überdauernde Ehrung eines großen Malers durch sich selbst.

Hans Thoma hatte auf der Karlsruher Kunsthochschule bei Johann Wilhelm Schirmer studiert und sich in Courbets Pariser Atelier an dessen Stil entzünden lassen: „Die Eindrücke haben mich mächtig berührt, es war für mich eine Erweiterung des Lebenselements." Hans Thomas Auge war ein großes Okular. In seinem Werk bestechen die Insichgeschlossenheit, die Ruhe und der friedliche Zauber, den er über Natur und Menschen breitet.

1924 starb Thoma 85jährig in Karlsruhe, wo er von 1899 bis 1919 als Direktor der Kunsthalle und Lehrer an der Kunstschule seinen frühen Ruhm genossen hatte.

Unsere Wirtschaft kann nur im Zusammenklang
mit Wissenschaft und Kultur erfolgreich sein.
(Wilhelm Merton)

18. Wilhelm Merton (1848–1916)

Im geschichtsträchtigen Jahre 1848, als in der Paulskirche mit der Deutschen Nationalversammlung die Demokratie ihre erste Chance bekam, wurde Wilhelm Merton am 14. Mai in Frankfurt geboren. Nach dem Studium der Betriebswirtschaft und Erfahrungen im Management trat Merton als 33-jähriger Mitgründer der Metallgesellschaft erstmals in die Öffentlichkeit. Seine beiden Compagnons Zacharias Hochschild und Leo Ellinger waren mit 26 und 28 Jahren sogar noch jünger. Da sie also keinen patriarchalischen Strukturen verpflichtet waren, stand ihnen mit dem unbekümmerten Elan der Jugend die Welt auch für Wagnisse offen. Hier stimmt Hölderlins lyrisierte Weissagung, wonach auch in der harten Realität „jedem Anfang ein Zauber innewohnt“, dem Merton erlegen ist.

Frankfurt zählte in der Gründungsphase der Aktiengesellschaft 140 000 Einwohner, von denen nur 180 schon über ein Telefon verfügten. Anstatt wie andere aufsteigende Firmen an der Börse zu spekulieren, versuchte die Metallgesellschaft im überschaubaren Radius mit überseeischen Projekten ihr kaufmännisches Glück: In den USA, in Mexiko und Australien, aber auch im benachbarten Frankreich und in der Schweiz gründeten sie Tochterfirmen. Als vom Glück begünstigter Unternehmer handelte Wilhelm Merton getreu seiner Lebensdevise altruistisch, indem er seinen selber geschaffenen Reichtum als Bringschuld an die Gesellschaft definierte. Sein humaner Charakter ließ ihn zu einem bedeutenden Stifter werden, der die metaphysischen Bedürfnisse der Bürger durch Künste und Wissenschaft zu befriedigen hoffte. Er wollte verhindern, daß Bildung jenen Bürgern vorbehalten bleibt, deren Besitz sie schon immer war.

Ein Kraftwerk der Anregungen, engagierte er sich 1901 auch finanziell als Mitgründer der Akademie für Sozial- und Handelswissenschaften, einer Vorstufe zur Bürgeruniversität. Um die notwendigen Gelder für eine autonome Alma mater aufzubringen, wurde auf seine Initiative hin eine Stiftungsuniversität gegründet, die vom Oberbürgermeister Franz Adickes hilfreich unterstützt wurde. Die 1914 ihre Tore zu Wissenschaft und Forschung öffnende Universität Frankfurts wählte 1932 Johann Wolfgang Goethe zum Namenspatron.

Erst mit dem Universitätsvertrag von 1953 verpflichteten sich das Land Hessen und die Stadt Frankfurt, den Finanzbedarf hälftig zu decken. Merton, der sich ebenso für die Oper und für die Künste wie für soziale Belange engagierte, gebührt in der Geschichte der Mäzene ein herausragender Platz. Ehrenbürger der Stadt Frankfurt wurde aber sein Sohn Richard Merton.

Ihren wissenschaftlichen Rang verdankt die Goethe-Universität der Elite ihrer Professoren, die hier gelehrt und geforscht haben, ein Drittel des Lehrkörpers waren jüdische Dozenten. Hier lehrten so bedeutende Professoren wie Martin Buber, Paul Tillich, Max Horkheimer, Theodor W. Adorno, Herbert Marcuse, Alfred Schmidt, Iring Fetscher, Jürgen Habermas, Karl Mannheim, Leo Frobenius, Theodor W. Dessauer, Paul Ehrlich, Max Laue, Fritz Neumark, Franz Oppenheimer oder Christiane Nüsslein-Volhard. Aufs Kapital von deren Wirken hat Wilhelm Merton den Zinsvorschuß gestiftet.

Seit 2001 wird von der Gontard & MetallBank-Stiftung ein mit 25000 Euro dotierter „Wilhelm Merton-Preis für europäische Übersetzungen“ verliehen, den bisher der Frankfurter Soziologe, Lektor und Übersetzer Bernd Schwibs und der Schriftsteller Walter Boehlich erhielten.

Ich hasse den Bonzenverkehr (wo man sich geehrt fühlen soll), und den Zweckverkehr (wo man Vorteile erhalten will) in gleicher Weise.
(Paul Ehrlich)

19. Paul Ehrlich (1854–1915)

Der jüdische Arzt Paul Ehrlich war als Forscher schon eine Berühmtheit, als er mit 45 Jahren 1909 nach Frankfurt kam. Er hatte 1908 den Nobelpreis für „unvergängliche Verdienste um die medizinische und biologische Forschung“ erhalten. Oberbürgermeister Franz Adickes freute sich um so mehr, als mit Ehrlich auch das „Königliche Institut für experimentelle Therapie“ nach Frankfurt übersiedelte, mit dem er als Vorstufe zur heutigen Universität eine wichtige Trumpfkarte ausspielen konnte. Nachdem der preußische Finanzmeister Miquel 30 000 Mark in die universitäre Zukunft investiert hatte, wurden damit Frankfurts Bürger motiviert, hunderttausend Mark zu sammeln, um an das Institut die erste Forscherelite zu binden wie den bedeutenden Chemiker Ludwig Darmstädter.

In dieser Hochphase der chemischen Forschung kooperierte Ehrlich mit den Farbwerken Hoechst wie auch mit Arthur von Weinberg von der Casella. Franziska von Speyer, die Witwe des reichen jüdischen Bankiers Georg von Speyer, stiftete den damals höchsten Betrag von zwei Millionen Mark, damit das Ehrlich-Team 1906 im Georg-Speyer-Haus seine Forschung rechtzeitig beginnen konnte. 1909 gelang Ehrlich die Entdeckung des Serums Salvarsan, womit er seinen Weltruhm begründete. Mit diesem Mittel konnte die grassierende Syphilis erfolgreich bekämpft werden, nachdem die Farbwerke Hoechst AG die Produktionskapazität den weltweiten Anforderungen entsprechend ausgebaut hatte. Zu seinem Ruhme wurde 1929 die Paul Ehrlich Stiftung für lebensdienliche Forschung gegründet.

Paul Ehrlich lebte mit Frau und zwei Töchtern in der Westendstraße 16. Er galt als exquisiter Sonderling, der sich dagegen wehrte, sein Genie von der Gesellschaft vereinnahmen zu lassen.

Gleichwohl war Ehrlich im Ansehen der Stadt so tief verankert, daß die Post anläßlich seines 60. Geburtstages zusätzliches Personal bestellen mußte, um die vielen Glückwünsche zu sortieren.

Paul Ehrlich fand am 23. Oktober 1915 auf dem jüdischen Friedhof in Frankfurt seine letzte Ruhe. Nach ihm und Ludwig Darmstädter ist ein mit 25 000 Euro dotierter Preis für Naturwissenschaften benannt, der alle zwei Jahre in der Paulskirche verliehen wird.

Wenn die Oper sich verbraucht hat,
nutzt es nichts, die Kulissen auszutauschen.
(Engelbert Humperdinck)

20. Engelbert Humperdinck (1854–1921)

Seinen klangvollen Namen lernen schon die Kinder in Stadttheater-Matineen buchstabieren, aber auch viele Eltern zieht er mit den schwelgerischen Klängen seiner Märchenopern in seinen Bann.

1854 in Siegburg geboren, begann Engelbert Humperdinck schon mit 12 Jahren zu komponieren. 1776 ehrte die Stadt Frankfurt den erst 22jährigen mit dem Mozart-Preis; das damit verbundene Stipendium ermöglichte es ihm, seine in Köln begonnenen Kompositionsstudien in München und Italien fortzusetzen. 1880 holte Richard Wagner das preisgekrönte junge Genie für zwei Jahre auf den Grünen Hügel, wo Humperdinck dem Meister bei der Einstudierung des *Parsifal* assistierte. Wagners Einfluß auf Humperdincks Kompositionen ist evident. So ist die musikalische Faktur von *Hänsel und Gretel* gekennzeichnet durch die Verschmelzung von volksliedhafter Melodik mit nuancenreicher Orchestrierung, die deutlich Anleihen aus Wagners Leitmotivtechnik erkennen läßt. Das Motiv des nicht nur schlichte Seelen zu Tränen rührenden *Abendsegens* klingt schon in der Ouvertüre deutlich an: „Abends, will ich schlafen gehn, vierzehn Engel um mich stehn ...“ Die an Richard

Wagner erinnernde „Traumpantomime“ mit ihren samtenen Tönen lullt auch Hartgesottene ins Wohl-Behagen ein.

Hänsel und Gretel ist in Humperdincks produktiven Frankfurter Jahren entstanden. Diese Märchenoper in drei Bildern wurde zwar 1893 am Hoftheater Weimar – sogar mit Richard Strauss am Pult – uraufgeführt, seinen großen Durchbruch schaffte das Stück aber erst mit der Aufführung in der Frankfurter Oper unter dem Dirigenten Ludwig Ruttenberg. Vor solch betörenden Melodien, die zum Teil schlichtem Volksgut entlehnt sind, gab es kein Entrinnen. Diesem Erfolg verdankt *Hänsel und Gretel* weitere Premieren in 50 Opernhäusern weltweit. An der Herstellung des Klavierauszugs hatte Humperdinck Hans Pfitzner beteiligt, den späteren Komponisten der Oper *Der arme Heinrich* (1895), der von 1886 bis 1890 wie Otto Klemperer oder Hans Rosbaud Schüler am Dr. Hochschen Konservatorium gewesen war.

Nach seiner Zeit als Lehrer in Barcelona hatte keine Geringere als Cosima Wagner Humperdinck nach Frankfurt an das Dr. Hochsche Konservatorium empfohlen, wo er seit 1890 die Fächer Komposition und Musiktheorie betreute. Für die *Frankfurter Zeitung* schrieb er regelmäßig lesenswerte Musikkritiken, mit denen er unter anderem auch dem jungen Pfitzner zum Durchbruch verhalf. Humperdinck hat fast zehn Jahre hier gelebt und gewirkt, bis zu seiner Berufung als Leiter der Meisterklasse der königlichen Akademie der Künste Berlin im Jahre 1900, und die Frankfurter haben den Komponisten nach seinem ersten Opernerfolg *Hänsel und Gretel* als „unseren Humperdinck“ in die tonangebende Gesellschaft eingemeindet. Mit dem in Frankfurt lebenden Maler Hans Thoma war Humperdinck durch eine gemeinsame Wagner-Adoration in tiefer Freundschaft verbunden. Auch mit Giacomo Puccini blieb Humperdinck in langer Freundschaft vertraut, beide hatten sich von Richard Wagner inspirieren lassen: Humperdinck bei „Hänsel und Gretel“ und Puccini bei der Oper „Edgar“ (1892). Sie hatten einander an den New Yorker „Met“ kennen und schätzen gelernt, als Humperdinck dort 1910 erfolgreich die verbesserte Fassung seiner „Königs-Kinder“ einstudierte und wo zehn Tage später Puccini sein „Mädchen aus dem goldenen Westen“

aus der Tiefe gehoben hatte. Die schönheitsseligen, engelreinen Melodien und konditorhaften Klangkulissen seiner drei weiteren Opern *Die Marketenderin*, *Gaudeamus* und *Heirat wider Willen* entstanden erst nach seiner Frankfurter Zeit. Humperdinck war auch ein gefragter Bühnenkomponist, der für Max Reinhardt Musiken zu Stücken von Shakespeare und Maeterlinck komponierte. Diese Werke sind aber der Gnade des Vergessens anheimgefallen.

Humperdincks Sohn wurde 1893 in der heutigen Scheffelstraße 1 geboren. Später konnte sich der Maestro eine üppigere Wohnung im Grüneburgweg leisten. Am Haus Grüneburgweg 95 erinnert heute ein von August Bischoff geschaffenes Porträt-Relief an den Komponisten. Im Historischen Museum beeindruckt eine von Cipri Adolf Bermann gefertigte Büste Humperdincks.

Der Meister der Märchenoper starb 1921 im mecklenburgischen Neustrelitz.

Das von Joseph Hoch an der Eschersheimer Anlage Nr. 4 errichtete Konservatorium hat Musikgeschichte geschrieben. Nicht nur weltberühmt gewordene Komponisten und Dirigenten wie Humperdinck, Hindemith, Hessenberg, Pfitzner, Rosbaud oder Klemperer begründeten den Ruf dieser Schule, aus der 1938 die staatliche Hochschule für Musik hervorgegangen ist. Auch die 1819 in Leipzig geborene, legendäre Pianistin Clara Schumann hat hier vier Jahre Musikunterricht gegeben. Unter ihrem Mädchennamen Clara Wieck hatte sie als neunjähriges „Wunderkind" auf ihre virtuose Begabung recht früh aufmerksam gemacht.

Der damalige Direktor des Deutschen Hochschen Konservatoriums, Joachim Raff, hat sie 1878 für zweitausend Taler Jahressalär bei viermonatigem Gastierurlaub nach Frankfurt geholt. Seit 1840 mit dem Komponisten Robert Schumann verheiratet, hat sie sieben gemeinsame Kinder zur Welt gebracht. Sie hatte sich in der Myliusstraße 32 ein geräumiges Haus gekauft. Nach dem Tod von Robert Schumann im Jahre 1856 war sie lebenslang mit Johannes Brahms eng befreundet. Clara Schumann hat mir ihrem feinnervigen Anschlag im Vortrag der Klavierwerke von Schumann und Brahms zum Ruhm des Frankfurter Museumsorchesters unter Otto Devrient wesentlich beigetragen.

Es ist schließlich wirklich egal, wo ich bin.
Immerhin: In mir selbst bin ich zu Hause.
(Max Beckmann)

21. Max Beckmann (1884–1950)

Max Beckmann verfügte über beides, den ganz anderen Blick und die Kunst, ihn auszudrücken. Es dürfte kein Museum von Rang geben, das sich nicht rühmen möchte, mit einem Bild von Max Beckmann seine Besucher zu beeindrucken. Der einmal einer der bedeutendsten Maler des 20. Jahrhunderts werden sollte, wurde 1884 in Leipzig geboren; er begann sein Kunststudium bei Fritjof Smith in Weimar; 1903 ließ er sich in Paris von Liebermann und Corinth inspirieren, und ab 1904 begann er in Berlin künstlerisch zu arbeiten. In Dresden hat Beckmann sein Studium formal abgeschlossen.

Ein Freund aus Weimarer Studientagen, der Maler Ugi Battenberg, hat dem auf der Rückreise von Straßburg nach Berlin in Frankfurt Station machenden Beckmann sein Atelier im Dachgeschoß an der oberen Schweizerstraße zur Verfügung gestellt – und Beckmann ist acht Jahre lang geblieben. Von 1925 bis zu Hitlers Machtergreifung war er Professor an der Städelschule: Gleich 1933 haben ihm die nazistischen Kunstbanausen die Lehrerlaubnis entzogen, obwohl er wie die meisten anderen früh entlassenen Kollegen kein Jude war. Im selben Jahr wurden 700 jüdische Mitglieder des Frankfurter Kunstvereins gezwungen auszutreten. Beckmann schien allein deshalb verdächtig, weil er als schillernder Exponent des angeblich „zum Chaos entarteten" Expressionismus die naturalistischen Normen der Naziästhetik grandios ignorierte. „Aber nur wer Chaos in sich trägt", sagt Nietzsche, „kann einen tanzenden Stein gebären."

Mit aufgeheizten, leuchtenden Farben sprengen die in breiten Pinselstrichen konturierten grotesken Figuren den Rahmen dessen, was die Goebbelsche Kunstpolitik als Ästhetik des gesunden Menschenbildes zur verbindlichen Norm erklärt hatte. Schon früh wurde Beckmanns Kunst als „entartet" stigmatisiert. Als „entartet", „fremdartig" und „undeutsch" galt damals alles, was dem figuralen Kodex des arischen Menschenbildes widersprach und in der Nomenklatur der als gegenständlich definierten Staatskunst Verwirrung und Chaos zu stiften drohte. Eine der von Beckmann gewählten Formen ist die Übertreibung.

Beckmann verstößt in der Wahl expressionistischer Ausdrucksmittel aber nicht nur stilistisch gegen das naturalistische Schönheitsideal; auch thematisch konterkarieren seine menetekelartigen Parabeln und Bildlegenden den penetrant lebensbejahenden Optimismus der neuen Bewegung. Er versucht der geschundenen Kreatur und dem Ausgeliefertsein des Menschen an höhere Mächte expressiven Ausdruck zu verleihen. Beckmann wählt mythische und mythologische Analogien oder nimmt Zuflucht zu symbolischen Gleichnissen und Metaphern. Die bewußt verrätselten Analogien dienen ihm als Mittel zum Zweck der Enthüllung des Unsagbaren. So haben seine Bilder jeweils aktuellen Bezug oder sie antizipieren zukünftiges Unheil.

Auf dem Mittelbild des Triptychons *Abfahrt* (1933) im New Yorker Museum of Modern Art verläßt ein halbnackter Gekrönter das Gestade, von Frau und Kind und einem verhüllten Fährmann begleitet. Auf den beiden Außenflügeln erkennt man linker Hand gefesselte, verstümmelte Figuren, über deren Häuptern ein Henker sein letales Mordinstrument schwingt. Auf dem rechten Tafelbild ist eine Frau zu sehen, an die ein leblos kopfunter hängender Mann gekettet ist. Diese Komposition ist als Sinnbild unserer bedrohten Existenz zu deuten.

Mit Hilfe des offenen, hell leuchtenden Ozeans versinnbildlicht Beckmann den Zwiespalt zwischen Zwang und Freiheit des Individuums immerhin als Hoffnungsschimmer. Beckmann malt mit moralischer Färbung.

1937 emigrierte Beckmann nach Amsterdam, 1947 siedelte er schließlich in die USA über. Hier wirkte er u. a. am Brooklyn-Museum in New York und lehrte an der Universität Washington.

Der Inhaber der Brauerschen Schriftgießerei und spätere Ehrenbürger der Stadt Frankfurt, Georg Hartmann, hat 1941 Max Beckmann in seinem Amsterdamer Exil den natürlich geheimen Auftrag übermitteln lassen, einen Zyklus mit 27 Lithographien zum Thema „Apokalypse" zu schaffen. Von seinen Graphiken erhoffte sich der Auftraggeber eine Darstellung der „eigentlichen Visionen unserer Zeit". Aber Beckmann lehnte diese tendenzielle Vorgabe mit folgender Begründung ab: „Tag und Nacht verfolgen mich, ausgestoßen von einem surrenden Flieger, eine Nachricht über eine Verhaftung, einer Verschleppung, Phantasien dieser Art, sie würden mich überwältigen, versuchte ich ihnen mit dem Stift auf den Leib zu rücken." Für Beckmann war die Apokalypse zeitlos. In den Lithographien dieses Zyklus gelang Beckmann eine bildmächtige Deutung des Luthertextes von der „Geheimen Offenbarung des Johannes". Der Inhaber der Braunschen Schriftgießerei Hartmann hat die heimlich nach Frankfurt gebrachten Graphiken litografisch reproduziert. Für den Text verwendete er die Schrifttype „Legende", die von der NS-Kulturkammer als „jüdisch" stigmatisiert war. Darin schreibt Hartmann: „Im vierten jahre des zweiten weltkrieges, als gesichte des apokalyptischen sehers grauenvolle wirklichkeit wurden, ist dieser druck entstanden." Die Graphiken sind erst 2002 wiederaufgetaucht und von einem Frankfurter Sammler erworben worden.

Da Städeldirektor Holzinger kein Beckmann-Adorant war, hat er 1970 die bedeutende Kollektion der Beckmann-Freundin Lilly von Schnitzler ohne Not nach Köln ins Wallraff-Richartz-Museum ziehen lassen. Durch eine publikumswirksame Sammelaktion des Kulturdezernats konnte 1972 wenigstens die Francofortensie *Die Synagoge* (1919) für die Städtische Galerie im Städel erworben werden. Die letzten fehlenden hunderttausend Mark hat der später von der RAF feige hingemordete Jürgen Ponto für die Dresdner Bank gestiftet.

Von dem unerbittlichen Chronisten Beckmann, der an Frankfurt beides liebte, den Großstadtbetrieb und die altertümliche Enge, hängen viele Bilder mit Motiven der Stadt in deutschen Museen; sie erinnern an das Frankfurt der zwanziger Jahre: *Das Frankfurter Nizza* (1921), *Der Eiserne Steg* (1922), *Eisgang* (1923), *Mainufer und Kirche* (1925), *Der Wendelsweg* (1928) oder *Der Hauptbahnhof* (1930). Meister der Beobachtung, hatte Beckmann sich einmal die Woche im Hauptbahnhof aufgehalten, um Menschen kommen und gehen zu sehen. Außer mit dem südlichen Bahnhofsrestaurant, wo er meist allein seinen Champagner trank, hatte er noch einen anderen Jour fixe: Jeden Freitag traf er sich mit Freunden zum Essen, darunter waren häufige Gäste die Dichter Fritz von Unruh (*Opfergang*) und Rudolf Binding (*Moselfahrt aus Liebeskummer*). Dabei widerlegte Beckmann beredt seine Selbststilisierung, er sei „mundfaul und daher Maler".

Könnte ich nur die Altstadt Frankfurts
auf Räder setzen und davonfahren.
(Ernst May im Gespräch
mit Benno Reifenberg)

22. Ernst May (1886–1970)

In Zeiten grassierender Wohnungsnöte bedeutete die Verheißung eines „Neuen Frankfurt“ die Einlösung jener alten Hoffnung der „kleinen Leute“ auf ein eigenes Heim, auf einen humanen Mikrokosmos mitten im Dickicht der Städte, wo man sich sollte daheim fühlen können mit eigenem schützenden Flachdach überm Kopf; wo einer nicht gekündigt werden konnte. Wer diese wahrhaft menschenfreundliche, „Siedeln an der Nida“ genannte Utopie in den zwanziger Jahren schließlich verwirklichte, war Frankfurts Baudezernent Ernst May. 1886 in Frankfurt geboren, studierte May in München und London Architektur und Stadtplanung.

Vorreiter des Funktionalismus, hat May unter vielen anderen Ideen die Montagebauweise in Deutschland eingeführt. Frankfurts kühner Baustadtrat war kein unbedingter Verfechter des sentimentalen „Altstadtkults“. Die nostalgische Topographie stand seinen Ideen einer Zukunftsplanung buchstäblich im Wege. Er hat sich vielmehr mit der Neuplanung zahlreicher Gartenstädte und erster Großsiedlungen wie der „Römerstadt" (1929) auf dem Boden der altrömischen Militärsiedlung Nida bei Heddernheim als ein urbanistischer Sozialreformer einen Namen gemacht.

Die Siedlungen „Praunheim", „Höhenblick" oder „Bornheimer Hang" komplettieren diese Pläne, die zehn Prozent der Frankfurter von ihrer Wohnungsnot befreien sollten. Teils in Zusammenarbeit mit Architekten wie Martin Elsaesser und Mart Stam hat er in seinen nur fünf Amtsjahren nicht weniger als 15 000 Familien ihren Traum der eigenen vier Wände erfüllt: May hatte ein klinisches Auge für Proportionen, die Langeweile vermeiden halfen.

Was heute unter dem pejorativen Begriff „sozialer Wohnungsbau" entsteht, hält dem Vergleich mit Mays Begriff vom „sozialen Gleichgewicht" im ästhetischen Ergebnis nicht stand: Die optische Variationsbreite von 18 verschiedenen Bautypen, vom Laubengang bis zum Gartenhofbau, war ebenso originär wie Mays Ästhetik.

May hat seine ingeniöse Theorie, die Ästhetik mit Zweckmäßigkeit zur Symbiose einer Heimstatt zu kreuzen, auch zu realisieren gewusst: eine Idee, die in aller Welt Nachahmer finden sollte. May beherzigte egomanisch Petrarcas 118. Dialog „über den Ruhm, den man sich aus den Bauwerken erhofft". Nicht nur weil auch Oberbürgermeister Ludwig Landmann dies erkannt hatte, half er May tatkräftig, dessen Pläne zu realisieren. Landmanns Interesse an den Musen dokumentiert sich nicht nur in Feldern des Nützlichen wie der Baukunst, sondern auch in der Musik: Er sang mit kräftigem Baß zum Beispiel im Arnold-Schönberg-Chor mit.

Berühmt geworden ist auch die von Margarete Schütte-Lihotsky aus dem May-Team konzipierte „Frankfurter Küche" für kleine Verhältnisse. Folgerichtig wurde May 1930 von der Sowjetregierung eingeladen, deren Städteplanerischer Berater zu werden. Mit Beginn der Wirtschaftskrise, die den Schwung der May/Landmann-Ära stark gebremst hatte, kam diese Einladung zur rechten Zeit. Im Reich der begrenzten Möglichkeiten haben die Sowjets einige von Mays dann berühmt-berüchtigten Trabantenstädte wie Magnitogorsk aus dem Boden gestampft, während der große Rest seiner Visionen schöne Utopie bleiben sollte.

Nachdem May nahezu zwei Jahrzehnte in Ostafrika, speziell in Nairobi, Kamwala und Daressalam, mit Auftragsprojekten sein Brot verdient hatte, übernahm er 1954 das Planungsbüro der „Neuen Heimat“, dessen markanteste Ergebnisse – die Bremer Großsiedlung „Neue Vahr“ und „Kranichstein in Darmstadt“ – Maßstäbe im Siedlungsbau und damit Bollwerke gegen städtebauliche Stupidität gesetzt haben. 1957 wurde der zweifache Ehrendoktor Ernst May Professor an der TH Darmstadt. 1966 erhielt May die Goethe-Plakette.

1970 ist der weltläufige Ernst May 84jährig in Hamburg gestorben.

Das Phantastische erhebt denselben Anspruch auf ästhetische Gültigkeit wie das Wirkliche.
(Siegfried Kracauer)

23. Siegfried Kracauer (1889–1966)

Der bedeutende deutsche Kulturkritiker Siegfried Kracauer wurde 1889 in Frankfurt am Main geboren. Er studierte Architektur, Soziologie und Philosophie in München und Frankfurt. Dreizehn Jahre lang war er Redakteur der *Frankfurter Zeitung*, bis der von den Nazis verfolgte Jude 1933 genötigt wurde zu emigrieren, zuerst nach Frankreich, dann in die USA.

In seinen Frankfurter Jahren entstanden seine ersten wichtigen Bücher: der literarisch hochambitionierte Roman *Ginster* (1928) und die soziologische Analyse *Die Angestellten* (1930). In der Prosa von *Ginster* verschmelzen die Optik des studierten Architekten Kracauer mit der Kenntnis des Soziologen Kracauer zu glückender Symbiose. In *Die Angestellten. Aus dem neuesten Deutschland*, als Artikelserie in der *Frankfurter Zeitung* vorabgedruckt, diagnostiziert Kracauer den Grundwiderspruch der Angestelltenexistenz. Die Lohnabhängigen dieser Kategorie würden immer stärker proletarisiert, gleichwohl aber vom unmittelbaren Produktionsprozeß ausgeschlossen. Aufgrund seiner höheren „Kulturbedürftigkeit“ erhoffe sich der Angestellte – meist vergeblich –, in die sogenannte bessere Gesellschaft aufzusteigen. Da Kracauer seine Ideologiekritik am lebenden Objekt, den Angestellten der Großstädte in Dienstleistungsberufen, konkret belegte, fand seine Diagnose am Vorabend der Weltwirtschaftskrise große Beachtung. Walter Benjamin nannte Kracauers Buch einen „Markstein auf dem Wege der Politisierung der Intelligenz".

Kracauers weitreichendes Interesse an gesellschaftlichen Alltagsphänomenen widmete sich schon früh dem Film. Wie kein zweiter hat er als Filmkritiker der *FZ* sowohl das deutsche als auch ausländische Filmschaffen seiner Zeit begleitet und analysiert. Diese detaillierte Kenntnis war die Grundlage für sein in viele Sprachen übersetztes filmhistorisches Standardwerk *Von Caligari zu Hitler* (1947), in dem er die „psychologische Geschichte des deutschen Films" bis 1933 in Beziehung setzt zu den politischen und gesellschaftlichen Bedingungen, von denen die Zerstreuungs-, Propaganda- und Trostfunktion des Kinos in dem Maße angetrieben war, wie der Film wiederum die laufenden Verhältnisse beeinflußte: „Denn die Filme sind der Spiegel der bestehenden Gesellschaft" (Kracauer). Mit diesem Buch hat er die Filmkritik mit Adornos Worten „überhaupt erst aufs Niveau gebracht, indem er den Film als Chiffre gesellschaftlicher Tendenzen, von Gedankenkontrolle und ideologischer Beherrschung las".

1960 erschien in New York Kracauers dickleibige *Theorie des Films*, die leider den im Titel behaupteten Anspruch schuldig bleibt und auch hinter sein zu Recht berühmtes *Caligari*-Buch weit zurückfällt. Kracauers verwegene Prämisse, jede Darstellung imaginärer oder phantastischer Welt (wie die Transponierung von Träumen oder von Science-fiction) liefe dem „Wesen" des Films zuwider, weil dessen Aufgabe die *Errettung der äußeren Wirklichkeit* (Untertitel) sei, hätte zur irrigen Konsequenz geführt, all jene Filme auf dem Abfallhaufen des Kinos zu entsorgen, die nicht jenen Eindruck von Wirklichkeit hervorriefen, „der den Zuschauer glauben läßt, Vorgänge zu erblicken, die sich im realen Leben zugetragen haben und an Ort und Stelle fotografiert sein könnten".

Abgesehen von dieser reduktionistischen Filmtheorie gilt Siegfried Kracauer mit seinem übrigen Œuvre als eine der bedeutenden Frankfurter Geistesgrößen, der keine angemessene Würdigung zuteil geworden ist. Kracauer, der als erster auf Theodor W. Adornos Genie aufmerksam wurde und mit dem Schüler Adorno Kant las und interpretierte, ist nach der Befreiung vom Hitler-Regime nicht wie Adorno und Horkheimer nach Deutschland zurückgekehrt. In der Fremde war es die deutsche Sprache, die ihm zur Heimat geworden war. Kracauer wußte Sprache als Instrument der Bewußtseinsprägung zu nutzen. Er starb 1966 in New York.

Die Weltsprache Musik braucht
nicht übersetzt zu werden.
(Paul Hindemith)

24. Paul Hindemith (1895–1963)

Paul Hindemith ist zwar im benachbarten Hanau geboren, seine musikalische Biographie wurde aber in Frankfurt zum Ereignis. Ausgebildet am Dr. Hochschen Konservatorium in den Fächern Viola und Violine, Komposition und Kontrapunkt, wurde er schon mit zwanzig Konzertmeister am Frankfurter Opernhaus. Nachdem der Schott-Verlag Hindemith 1923 unter Generalvertrag genommen hatte, der es ihm erlaubte, seine Konzertmeisterstelle bei der Oper zu kündigen, konnte er als freier Komponist und Interpret endlich allein über sein Zeitbudget verfügen. Als er im selben Jahr als Bratschist das bald erfolgreiche Amar-Quartett gründet, das vornehmlich Pfitzner, Křenek und Webern spielt, wird ihm als musikalisches Refugium der berühmte Kuhhirtenturm in Sachsenhausen als Inspirationsspeicher angeboten, ein gut erhaltenes Relikt aus der Sachsenhäuser Stadtbefestigung von anno 1490.

Im Kuhhirtenturm komponierte er wider die Diktatur des selig machenden abendländischen Konsenses der emotionalen Kammermusik-Harmonik. Hier entstand die erste Fassung des *Marienlebens*

(1924) – 15 Lieder für Sopran und Klavier nach Gedichten von Rainer Maria Rilke – sowie die berühmt gewordene Oper *Cardillac* (1926). Da ein Flügel weder durchs Treppenhaus noch mit Hilfe einer Hebebühne durch ein Fenster in das oberste Stockwerk des Kuhhirtenturms geschafft werden konnte, wurden Teile des Dachs abgedeckt, um das Instrument mittels eines riesigen Krans dort zu landen, wo radikal avantgardistische Musik in allen Genres entstehen wird: von Ballett-, Film- und Unterhaltungsmusiken bis zu großen Symphonien und Opern.

Von 1927 bis 1935 lehrte der Frankfurter Professor Komposition an der Staatlichen Hochschule für Musik in Berlin. Von den Nazis inzwischen als Exponent der „entarteten Kunst" gebrandmarkt, wird die Aufführung seiner Oper *Mathis der Maler*, das Indiz einer langen ästhetischen Evolution, 1935 in Frankfurt verboten. 1938 emigrierte Hindemith zunächst in die Schweiz in den Kanton Wallis, anschließend in die USA, deren Staatsbürger er 1946 wurde. Die Frankfurter Uraufführung von *Mathis der Maler* im folgenden Jahr war ein großer Erfolg.

Zu Beginn der zwanziger Jahre hatte der große Anreger einer neuen Musik mit seiner Neuordnung des Tonmaterials die bis dahin gepflogene Harmonie der Töne zwar in Frage gestellt, ohne deshalb jedoch die Tonalität zu leugnen. Anders als die sogenannten Neutöner Schönberg oder Webern hatte es Paul Hindemith nicht besonders schwer, mit seinen avantgardistischen, antiromantischen Kompositionen auch beim konservativen Konzertbesucher geneigte Ohren zu finden.

Vom hohen Ethos des Komponisten Hindemith zeugen seine beiden Schlüsselwerke, die Opern *Mathis der Maler* und *Die Harmonie der Welt* (1957). Für Hindemith war Musik die eigentliche metaphysische Tätigkeit.

Der Liedzyklus *Das Marienleben* markiert einen Wendepunkt im zeitgenössischen Liedschaffen. In diesen Zusammenhang darf auch Hindemiths Hinwendung zu populären Sing- und Spielmusiken für Laienmusiker und Kinder verdienstvoll genannt werden. Nach dem Kriege war Hindemith der wohl wichtigste Anknüpfungspunkt für

Komponisten wie Hans Werner Henze und Bernd Alois Zimmermann.

Hindemith hat für den älteren Bruder des Philosophen Wittgenstein, für Paul W., der im Ersten Weltkrieg den rechten Arm verloren hatte, die „Klaviermusik für die linke Hand mit Orchester" Op. 29 geschrieben. Das 1923 komponierte Werk wurde aber erst im Jahre 2004 von Simon Rattle mit den Berliner Philharmonikern uraufgeführt. Nach Meinung des Musikkritikers Wolfgang Sandner gehört das Duo dieses Werkes zwischen Horn und Klavier und die anschließende Solokadenz „zum schönsten, was Hindemith je geschrieben hat".

Die Stadt Hanau vergibt alljährlich den „Paul-Hindemith-Preis für Musik und Menschlichkeit", den im Jahre 2004 Daniel Barenboim erhielt, kein ausgewiesener Hindemith-Exeget. Das Frankfurter Hindemith-Institut verleiht den Paul-Hindemith-Preis jungen Komponisten, die Hindemiths ästhetische Dispositionen weiterentwickeln. Die bisherigen Preisträger, zuletzt 2002 Jörn Arnecke, widersprechen mit ihren Werken jenem Diktum Adornos, daß Hindemiths Kompositionen „nur" Musik seien: „Wie muß vollends eine Welt beschaffen sein, in der schon Fragen des Kontrapunktes von unversöhnlichen Konflikten zeugen" (Adorno 1948).

Paul Hindemith starb 1963 in der Stadt, die ihm ihren Ruf als zeitweilige Musikmetropole verdankt, in Frankfurt am Main.

Die Auseinandersetzung mit unserer jüngsten Vergangenheit erfordert gewiß ein Wissen um Fakten, aber das genügt nicht, nötig ist auch der Versuch ihrer Deutung, ohne die keine Folgerung und keine Lehre gezogen werden können.
(Fritz Bauer)

25. Fritz Bauer (1903–1968)

Fritz Bauer wurde am 16. Juli 1903 als Kind einer deutsch-jüdischen Familie in Stuttgart geboren. Nach dem Studium der Rechtswissenschaft und der Volkswirtschaftslehre in München und Tübingen begann Fritz Bauer seine Karriere 1930 als Gerichtsassessor in Stuttgart, bis sie von den Nationalsozialisten seiner jüdischen Abstammung wegen 1933 jäh beendet wurde. Nach monatelangem KZ-Aufenthalt floh der Sozialist Bauer zunächst nach Dänemark, nach Ausbruch des Zweiten Weltkrieges weiter nach Schweden.

Bald nach der deutschen „Stunde Null“ aus der Emigration zurückgekehrt, wurde er 1949 Generalstaatsanwalt in Braunschweig und 1956 in Frankfurt am Main. Er half beim Aufbau einer demokratischen Justiz und widmete sich insbesondere der strafrechtlichen Verfolgung von NS-Verbrechern. Auch geht die Reform des Straf- und Strafvollzugsrechts auf seine Initiative zurück. Fritz Bauer gehört zur Gründergeneration der neuen Bundesrepublik.

Fritz Bauer ist international bekannt geworden durch den Frankfurter Auschwitz-Prozeß „gegen Mulka und andere“ NS-Täter, der am 20. Dezember 1963 unter dem Aktenzeichen 4 Ks 2/63 zunächst im Römer begann und ab dem 3. April 1964 dann im speziell dafür umgerüsteten Bürgerhaus „Gallus“ fortgeführt wurde. Bauer klagte die Nazi-Schergen der Ermordung von über 45 000 Menschen an. Das Beweismaterial mit 74 Bänden war so erdrückend, daß 23 ehemalige SS-Männer überführt und verurteilt werden konnten. Der in aller Welt mit großer Aufmerksamkeit verfolgte Prozeß endete am 20. August 1965. Gegen das Urteil argumentierte der ehemalige „furchtbare Jurist“ und damalige baden-württembergische Ministerpräsident Hans Filbinger mit dem unglaublichen Diktum: „Was damals Recht war, kann heute nicht Unrecht sein.“

Über den Prozeß hat der Autor von *Die Ästhetik des Widerstands* Peter Weiss mit seinem Theaterstück *Die Ermittlung* (1965) auf vielen Bühnen beklemmende Auskunft gegeben. Er wollte über die vom Nebel des Vergessens umschleierte Shoah mit theatralischen Mitteln aufklären. Außer Weiss hat nur Marie Luise von Kaschnitz aktuell den Auschwitz-Prozeß literarisch begleitet. In ihrem Buch *Steht noch dahin* (1970) finden sich die eindrücklichen Verse:

> „So werden wir
> Die Brüder und ich
> Ihr gegenüber
> Schuldig
> Denn freizusprechen ist keiner“.

Das 1995 gegründete Fritz Bauer Institut an der Universität Frankfurt hält als Mittel der Prävention die Erinnerung an das größte Menetekel der Menschheitsgeschichte lebendig. Die von Micha Brumlik geleitete Einrichtung sieht ihren Auftrag darin, zur Bewahrung des Friedens beizutragen. Jene Exkulpationsangebote vom „guten Deutschen“, die von gewissen Schriftstellern und Politikern latent begünstigt werden, verweist man hier in den Bereich des spekulativen, verharmlosenden Populismus. Auch einen ritualisierten und ästhetisierenden Umgang mit dem Holocaust versucht das Programm des Instituts argumentativ ebenso zu konterkarieren, wie es Tendenzen entschieden widerspricht, die Shoah zu sakralisieren. Neben der Erforschung von Rassenideologien und den Koordninaten ihrer Auswirkungen in der Geschichte des 19. und 20. Jahrhunderts wird der konkreten Umsetzung rassistischer Ideen durch staatliches Recht in den Seminaren angemessene Aufmerksamkeit geschenkt.

Fritz Bauer ist erfolgreich auch als Autor hervorgetreten: *Das Verbrechen und die Gesellschaft* (1957), *Widerstand gegen die Staatsgewalt* (1965) oder der Sammelband *Die Humanität der Rechtsordnung. Ausgewählte Schriften* (1998) finden sich in den Regalen aller öffentlichen Bibliotheken.

Im Juli 1968 ist Fritz Bauer in Frankfurt gestorben.

Indem Fritz Bauer für eine Kultur der Erinnerung plädierte, weil das Nichtvergessen Voraussetzung ist für gelebte Humanität, widerspricht er Nietzsches fatalem Diktum, daß wer handeln wolle, vergessen können müsse.

Aufgabe der Kunst von heute ist es,
Chaos in die Ordnung zu bringen.
(Theodor W. Adorno)

26. Theodor W. Adorno (1903–1969)

Stimme und Diktion Adornos behält wohl jeder im Ohr, der einmal das intellektuelle Vergnügen hatte, seinen skurrilen Wortschöpfungen, seinen verrätselten Sätzen, seinen differenzierten Denkbahnen zu folgen, Thomas Mann zum Trotz. Der meinte Adornos Stil als „unglaublich hochgezüchtet" ironisieren zu sollen. Vielleicht hat Thomas Mann als Meister hoher formaler Prosa-Kunst Adornos kunstvolle Selbststilisierung und seine monomane Grandezza subjektiv als unbehaglich empfunden. Gleichwohl verdankt der Autor des *Doktor Faustus* seinem Emigrationsnachbarn im kalifornischen Pacific Palisades den musiktheoretischen Überbau des 1947 erschienenen Romans. Nicht selten wortwörtlich fanden Adornos philosophische Ansichten zur Musik ihren Niederschlag darin. Thomas Mann hat sich dafür revanchiert, indem er den „Mitarbeiter" physiognomisch als Teufel im Gespräch mit Adrian Leverkühn brachte und 1949 in seinem Buch *Entstehung des Doktor Faustus* diese einzigartige Zusammenarbeit öffentlich machte.

Am 11. September 1903 in Frankfurt am Main geboren, besuchte

Adorno in den Jahren 1913 bis 1920 das Kaiser-Wilhelm-Gymnasium in Sachsenhausen. In seiner Heimatstadt studierte er anschließend Philosophie, Soziologie und Psychologie und 1925/26 in Wien Kompositionslehre bei Alban Berg. Wieder in Frankfurt, habilitierte er sich 1931 bei dem Religionsphilosophen Paul Tillich mit einer Arbeit über „Kierkegaards Konstruktion des Ästhetischen". 1934 fand der Sohn eines jüdischen Vaters und einer korsisch-italienischen Mutter Zuflucht in Oxford.

Gemeinsam mit seinem Freund Max Horkheimer, der Adorno 1938 aus dem Oxforder Exil an das nach New York emigrierte Institut für Sozialforschung und später nach Los Angeles holte, hat er 1942/44 die folgenreiche *Dialektik der Aufklärung* geschrieben, die meistgelesene Lektüre der Studentenbewegung. Es ist die ideologiekritische Reflexion der Krise der europäischen Zivilisation, ein bleibendes Werk, das in viele Sprachen übersetzt worden ist. Diese philosophischen Fragmente erschienen 1947 in den Niederlanden.

Adornos Opus magnum, die Horkheimer gewidmeten *Minima Moralia* (1951), hat eine ganze Studentengeneration bewegt und geprägt: „Es gibt kein richtiges Leben im falschen", heißt es in diesen *Reflexionen aus dem beschädigten Leben*, einer aphoristisch zugespitzten Sammlung kürzerer und härterer Analysen und sozialpsychologischer Spekulationen über die moderne Gesellschaft. „Nicht die letzte der Aufgaben, vor welche Denken sich gestellt sieht, ist es, alle reaktionären Argumente gegen die abendländische Kultur in den Dienst der fortschreitenden Aufklärung zu stellen", schreibt Adorno in seiner „Lehre vom richtigen Leben", die nicht zuletzt auch einer Rettung der Transzendenz ins Ästhetische das Wort redet.

Am Beispiel der Musik polemisiert Adorno in seinem Buch *Philosophie der neuen Musik* (1949) gegen unziemliche Degradierungsversuche der Kunst zur Ware. An diesem zentralen musikästhetischen Werk versucht er Arnold Schönberg gegen Vorwürfe angeblich restaurativer Tendenzen des Neoklassizismus eines Igor Strawinsky als Protagonisten des musiktheoretischen Fortschritts zu legitimieren.

Im Erscheinungsjahr dieses Buches kehrt Adorno nach 15jähriger Emigration endgültig nach Deutschland und in seine Geburtsstadt

Frankfurt am Main zurück. Der exquisite Geist und leidenschaftliche Lehrer erhält einen „außerplanmäßigen“ (!) Lehrstuhl für Philosophie an der Johann-Wolfgang-Goethe-Universität, der erst 1957 in eine „ordentliche Professur“ umgewandelt wird. Gemeinsam mit Horkheimer leitet er das 1949 in Frankfurt wiedereröffnete Institut für Sozialforschung an der Senckenberganlage; er selbst wohnte nach dem Kriege viele Jahre in Oberrad in der Seeheimstraße 19 nahe dem Scheerwald, auf dessen endlosen Wegen er bei langen Spaziergängen seine Gedanken ordnete.

Adorno sieht seine Aufgabe als Philosoph vor allem darin, gesellschaftliche Probleme mit philosophischen Mitteln zu veranschaulichen. Er möchte die Widersprüche auflösen, die zwischen Individuum und Gesellschaft, zwischen Natur und Geschichte Konflikte erzeugen. Er möchte Theorie und Praxis zwar nicht versöhnen, aber beide Größen dem Leser doch als einander bedingend begreiflich machen.

Die gegen die Väter-/Tätergeneration aufbegehrende neomarxistische Protestbewegung der Achtundsechzigerstudenten, die sich in willkürlicher Exegese zwar mit Adornos Gesellschaftsanalyse identifizierten, auf der anderen Seite seine Ästhetische Theorie aber als hermetische Sprachbarrieren errichtende und deshalb für die politische Praxis untaugliche Philosophie verurteilten, hielten den Gegensatz von ästhetischer und lebenspraktischer Sphäre für unauflösbar. Sie machten ihrem Frust schließlich leibhaftig Luft: Barbusig umtanzten Kommilitoninnen im großen Hörsaal der Goethe-Universität ihr Idol am Katheder, um es zu entzaubern. Ihre fehlenden Argumente versuchten sie mit Entblößungen zu verdecken. Nach diesem Busenattentat hat sich Adorno aus seinen Vorlesungen konsequent ein für allemal verabschiedet. Er starb am 6. August 1969 während eines Urlaubs in den Walliser Alpen in Visp.

Während Horkheimer 1960 für sein Lebenswerk zu Recht mit der Ehrenbürgerwürde ausgezeichnet wurde, hat es der geniale andere Mandarin der „Frankfurter Schule“ in seiner Geburts- und Heimatstadt anläßlich seines 60. Geburtstages „nur“ zur Goethe-Plakette gebracht. Nach seinem Tod hat das Kulturdezernat 1975 dem Magistrat vorgeschlagen, einen Theodor-W.-Adorno-Preis für Denker der Grenzbereiche Philosophie und Soziologie zu stiften, der mit heute fünfzigtausend Euro der höchstdotierte Preis seiner Kategorie ist. Preisträger waren seit 1977 unter anderem Günter Anders und der um die Institutionalisierung der Solidarität bemühte Jürgen Habermas: „Uneingeschränkt miteinander leben ist schon viel."

Im Adorno-Jahr 2004 übertraf die Stadt mit dreißig Vorträgen quantitativ wie qualitativ bei weitem die letzte große Kulturfeier zum Goethe-Jubiläum. Der Magistrat stellte außerdem ein extrem ridiküles Adorno-Denkmal des russischen Künstlers Vadim Zakharov auf den pünktlich in Adornoplatz umgetauften früheren Königsplatz mit Blickachse zur Universität, wo es den Passanten Rätsel aufgibt: In einem riesigen Glaskubus sind ein vorsintflutlicher Schreibtisch mit sechs Schubfächern und ein altmodischer Schreibtischsessel zu besichtigen, Utensilien, die wahrscheinlich aus dem Theaterfundus entsorgt wurden. Nach einer diese Realsatire trefflich antizipierenden Wendung Adornos, dem bekanntlich eine tiefe Abscheu vor jeder Verdinglichung eignete, drängt hier „die Absurdität des Realen auf eine Form, welche die realistische Fassade erschlägt": In der Glasfassade splittrige Risse durch Attacken aggressiver Steinewerfer schon nach kurzer Schonfrist.

Unter dem Titel *Adorno in Frankfurt* hat Wolfram Schütte ein spannendes Kaleidoskop von Texten und Bildern zusammengestellt, das die herausragende Präsenz Adornos in seiner Geburtsstadt in nachlesenswerten Dokumenten, Essays, Reden, Erinnerungen und Briefen von und über Adorno vermittelt. Wer Goethe den größten Sohn unserer Frankfurter Geistesgeschichte nennt, müßte den Namen Adornos respektvoll hinzufügen.

Die Frankfurter Ehrenbürger

Aller Anfang heißt Karl der Große

Die Genealogie der Frankfurter Ehrenbürger hat ihren Stammvater übersehen: Warum hat die Stadt Frankfurt am Main den König der Franken und späteren Kaiser, jene emblematische europäische Herrscherfigur Karl den Großen (768 – 814) nicht posthum zum Ehrenbürger der Ehrenbürger erklärt? Schließlich verdankt sie ihm der Sage nach ihren Namen: Auf der Flucht vor den Sachsen soll Karl um 790 mit dem Rest seines geschlagenen Heeres an der seichtesten Stelle den Main überquert haben. Dem Frankenkönig verdankt unsere Stadt auch die erste gesicherte urkundliche Erwähnung am 22. Februar 794 als „francono furt". Die Furt der Franken. Um die Jahreswende 793/

94 war Karl der Große von Regensburg via Würzburg per Schiff in seinem Kammergut („villa") Frankfurt angekommen, um hier zu überwintern. Gegründet hat Karl der Große die Stadt natürlich nicht. Denn schon zu merowingischer Zeit hat am Main eine beträchtliche städtische Siedlung existiert, wie sonst hätte Karl hier im Sommer 794 am 1. Juni eine Reichssynode abhalten können, zu der er die Bischöfe aus Gallien, Germanien, Italien und Nordspanien an den Main lud. Diese Fränkische Reichssynode hat vergeblich versucht, der Bilderverehrung Einhalt zu gebieten. Insgesamt hielt Karl sich mit seinem Gefolge mehr als neun Monate in Frankfurt auf. Seine Frau Königin Fastrada, eine ostfränkische Grafentochter, starb während dieser Zeit in Frankfurt. Die Winterstürme wichen bald dem Wonnemond, als Karl die schöne Luitgard freite, eine Tochter aus alemannischem Grafengeschlecht.

Karl der Große fällte in Frankfurt nicht nur zahlreiche kirchenrechtliche und politische Entscheidungen, wie er versucht hat, das Mitspracherecht des Adels einzuschränken. Er führte von hier aus auch eine Währungsreform durch, mit der er das Münzwesen im damaligen europäischen Kulturraum vereinheitlichte. Das erst 1996 in der Nähe der Ingelheimer Kaiserpfalz entdeckte Beweisstück konterfeit auf einer Goldmünze in grobem Reliefdekor Karl den Großen, wenn auch in nicht besonders schmeichelhaften Konturen. Die Münzprägung des Frankenkönigs aus einer Zeit, als die ersten Handelsströme am Main zusammenflossen, kann durchaus als ein früher Vorläufer des Euro in Anspruch genommen werden, und so erfolgte die Gründung der Europäischen Zentralbank 1998 in Frankfurt auf geschichtsträchtig relevantem Boden.

Karl der Große wurde am Weihnachtstag des Jahres 800 in Rom von Papst Leo III. zum ersten Kaiser nach dem Untergang des Römischen Reiches gekrönt, und seit Otto I. (936–973, Kaiser seit 962) stand die Kaiserwürde den deutschen Königen zu. Frankfurt, das seit der Mitte des 12. Jahrhunderts schon traditionell Ort der Königswahl war, wurde 1356 durch das Reichsgrundgesetz „Goldene Bulle" Karls IV. auch reichsrechtlich zur Wahlstadt der deutschen Könige erklärt – bis das heilige Römische Reich deutscher Nationen 1806 zerbrach. Das Original der „Goldenen Bulle“, so genannt wegen der goldenen Kapsel des Siegels, wurde nur Potentaten vor Augen geführt wie 1730 König Friedrich Wilhelm I. von Preußen und dessen Sohn, dem späteren Friedrich dem Großen. 1562 avancierte der Frankfurter Dom dann auch zur Stätte der Kaiserkrönungen, wodurch das Ansehen Frankfurts in aller Welt weiter gemehrt werden konnte. Die damalige Karriere Frankfurts ist letztlich Karl dem Großen geschuldet.

Im Kaisersaal des Römers, der 1405 für 600 Gulden von der Stadt als Rathaus gekauft worden war, erinnern 52 im romantischen Stil u. a. von Alfred Rethel, Philipp Veit und Edward von Steinle in Purpur und Goldbrokat mit stoischer Attitüde porträtierte Kaiser und Könige an verflossenen Glanz imperialer Zeiten und Gezeiten. Die daran gemahnende „Kaisertreppe“ im gotischen Teil des Römers dient heute jungen Paaren als Laufsteg in den Trausaal.

Karl der Große verkörperte nicht nur all das, was einen Mann zum Mythos des draufgängerischen Helden stilisiert, gegen Ende des achten Jahrhunderts setzte er auch eine Bildungsbewegung in Gang, die sogenannte „Karolingische Renaissance“, die an die Kultur und Zivilisation der Antike anknüpfte. An Karls Hof las man fast ausschließlich Römerliteratur. Für die Söhne des Adels war der Besuch der Lateinschule Pflicht, der Kaiser erwog sogar, das Lateinische zur Volkssprache zu erklären. Karl selbst konnte Latein lesen und sprechen, und an seiner Hofschule in Aachen bereicherten auch die Lektüren von Platon und Aristoteles, Ovid und Vergil, Caesar und Cicero den Bildungskanon: Für Platon bildet die Idee des Guten das letzte Ziel und die metaphysische Ursache aller Tugenden. Für Aristoteles besteht das objektive Glück darin, die zentralen Anlagen und Fähigkeiten des Individuums vollständig zu entfalten. Hätte Karl der Große nicht das Abschreiben antiker Autoren angeordnet, wären die meisten Werke der Alten Welt wohl nicht überliefert worden.

Karl der Große hat sich auch um die Aufzeichnung der alten, mündlich tradierten germanischen Heldenepen bemüht, um sie der Nachwelt zu erhalten. Parallel zu dem im frühen Mittelalter aufkeimenden Wissensdurst und Bildungshunger war sein effizienter Einsatz für schriftliche Überlieferungen der Beginn professioneller Methoden der Buchproduktion, wie sie selbst die Antike nicht kannte. Der Frankenkönig kann somit auch noch als ein erster Protagonist der Schriftkultur in Anspruch genommen werden, die nach der Erfindung des Buchdruckes im 15. Jahrhundert auf der Frankfurter Buchmesse ihre vorläufige Klimax erreichte.

Durch die Verknüpfung von antikem Erbe, christlichen Idealen und germanischer Gedankenwelt hat Karl der Große die geschichtliche und geistige Entwicklung Europas nachhaltig beeinflußt. Damit hat der dem Hedonismus anhängende Herrscher den Humus dessen bepflanzt, was unter dem Begriff „christliches Abendland“ sogar als Schullektüre interessant werden sollte. Kaiser Friedrich I. Barbarossa, der 1152 in Frankfurt zum König gewählt wurde und dem Frankfurt im letzten Viertel des 12. Jahrhunderts die Stadtwerdung verdankt, ließ Karl den Großen im Jahre 1165 durch den deutschen Gegenpapst Paschalis III. heiligsprechen. Barbarossa errichtete hier auch den Saalhof, jene legendäre ehemalige staufische Reichsburg. Die Saalhofkapelle gilt als das älteste erhaltene Frankfurter Bauwerk, das in diametralem Kontrast zum grauslichen Neubau des Historischen Museums darin integriert wurde. Dessen brutale Sichtbetonfassade ärgert ästhetische Augen. Wer in der alten Kapelle verweilt, spürt die emotionale Dimension der Frankfurter Geschichte. Noch heute wird im Kaiserdom zu Karls Ehren an dessen Todestag (28. Januar) das Karlsamt als Messe zelebriert. Somit ist sein Name wie kein anderer auf ewig mit Frankfurt verbunden.

Die Goldmünze Karls des Großen (Vorderseite)

1. Erbprinz Friedrich Ludwig von Hohenlohe-Ingelfingen (1795)

Tausend Jahre nach Karl dem Großen hat während des Krieges zwischen Frankreich und Deutschland Erbprinz Friedrich Ludwig von Hohenlohe-Ingelfingen im März 1795 sein Hauptquartier nach Frankfurt verlegt. Die Berufung eines Direktoriums hatte die Französische Revolution beendet. Für die segensreichen Konsequenzen aus den Trugschlüssen seiner Kriegspolitik hat der Prinz die allererste Ehrenbürgerwürde der Freien Reichsstadt Frankfurt erhalten. Denn er allein soll die Ursache dafür gewesen sein, „daß die Franzosen ohnerachtet ihres hartnäckigen Begehrens und ohnerachtet im Anhange zum preußischen Frieden zugestanden war, den Durchzug durch unsere Stadt nicht erhielten, wo es ohne Plünderung oder gar vielleicht Besetzung unserer Stadt nicht abgegangen sein würde". Dieses kryptische Plädoyer im Konjunktiv, mit dem der Unternehmer Samuel Gottlieb Finger seinen Antrag auf Ehrenbürgerschaft begründete, blieb zunächst schnöde ungehört; statt dessen dankte die städtische Geheime Kriegsdeputation allein dem preußischen König Friedrich Wilhelm II. für geleisteten Schutz statt dem erlauchten Erbprinzen. Diesem soll das aber so stark mißfallen haben, daß er seinen Verdruß nicht einfach nur insgeheim hinunterzuschlucken gedachte.

Von soviel Dreistigkeit aufgescheucht, flüchtete sich die Frankfurter Kriegsdeputation schließlich in den Vorschlag, dem Erbprinzen

„einen offenen Ehrenbürgerbrief mit anhängendem großen Stadtsiegel in Wachs und in goldener Kapsel im Wert von einigen tausend Gulden“ zu verabreichen. Das rhetorische Rüschenwerk der Urkunde vom 10. November 1795 von Bürgermeister Adolf von Humbracht läßt von der ursprünglichen Verstimmung nichts erkennen; nun wollte sich der brave Mann im aristokratischen Flair eines Erbprinzen auch gern ein wenig sonnen: „Es ist auch für uns die Erfüllung einer theuren Pflicht, Höchstdenenselben dieses öffentliche Merkmal des unvergeßlichen Dankes, des unbegränzten Vertrauens und der unauslöschlichen tiefsten Verehrung der gesamten hiesigen Bürgerschaft respectuosest darzubringen.“ So rettete sich der Erbprinz zu guter Letzt doch noch in die Frankfurter Geschichtsbücher. Als der zwangsgehätschelte Erbprinz nach dem Empfang der Ehrenbürger-Urkunde auf erlauchtem Sattel gen Breslau trabte, auf zu einem neuen Kommando-Abenteuer, wurde er von einer Schwadron Frankfurter Kaufleute, ebenfalls hoch zu Roß, auf Nimmerwiedersehen aus den Toren der Stadt eskortiert.

Als der Prinz und sein flüchtendes Häuflein preußisch-sächsischer Grenadiere im Oktober 1806 von Napoleons Soldateska geschlagen wurde, schien seine Durchlaucht vom Schicksal bestimmt, den „Frieden von Prenzlau“ unterzeichnen zu dürfen. Am Ende seiner militärischen Karriere zog sich Hohenlohe-Ingelfingen auf seine oberschlesischen Güter zurück, wo er auf Schloß Slawentzitz ins Privatleben retirierte, bis er 1818 das Zeitliche segnete.

Der Erbprinz hatte die ihm vom Frankfurter Senat als materiellen Dank allzu plump offerierte größere Summe Bares zwar vornehm abgelehnt, sie aber in der Währung kostbaren Tafelsilbers dankbar in den Satteltaschen seines Trosses verstauen lassen.

2. Karl de Croix, Graf von Clerfayt und von Calonne (1796)

Auch der österreichische Generalfeldmarschall Karl de Croix, Graf von Clerfayt und von Calonne mochte seine Verdienste nicht unter den Scheffel gestellt sehen. Mit der Bagatelle eines festlichen Mittagsmahls, immerhin bei Bankier Gontard, und einem warmen Händedruck der beiden Frankfurter Bürgermeister, die dem Feldmarschall dabei für die Unterstützung seiner kaiserlichen Soldaten artig dankten, wollte er seinen kurzen Frankfurt-Aufenthalt im Jahre 1796 aber nicht beschließen. Ein Adjutant des Grafen gab den Bürgermeistern einen sogenannten Wink mit dem Zaunpfahl, wonach seine Hochwohlgeboren es mit Vergnügen sähe, wenn ihm das Ehrenbürgerrecht angetragen würde. Seine Wünsche sollten nicht ins Leere gelaufen sein. Die liebste aller Gewohnheiten scheint schon damals die Selbsterhöhung gewesen zu sein.

Da der Marschall schon anderntags seinen nächsten militärischen Lorbeeren entgegenreiten wollte, ermächtigten die beiden Bürgermeister sich gegenseitig, die verletzte Seele zu balsamieren und dem Begehren zu entsprechen. Erst drei Wochen später billigte der Rat den folgenden, durch diplomatische Flamboyanz veredelten Text der Ehrenbürgerurkunde: „Wie aber bald hierauf das drohende, unübersehbare Unglück durch den Schuz der tapferen Kriegsheere Ihrer allerglorwürdigest regierenden Römisch Kayserlischen Mayestät, unsers allergnädigsten Herrn, unter der heldenmütigen Anführung, Ihrs des Kayserlichen und Reichsgeneralfeldmarschalen und Feldzeugmeister Grafen Carl Joseph von Clairfait, Excellenz, von dem deutschen Vaterlande mittelst einer Reihe der thatenvollsten Siege wieder abgewendet, und wie hierbey insbesondere auch die Rettung und Erhaltung der hiesigen Reichsstadt noch in dem kritischen Augenblick der dringendsten Gefahr gleichlich erreicht worden sey, gleiches wird einem jeden deutschgesinnten Manne und jedem seine Vaterstadt liebenden Frankfurter Bürger in eben so unvergeßlichem frohen Andenken bleiben" (zitiert nach Hans-Otto Schembs). Reife philologische Leistung, soviel unterwürfigen Überschwang in das Prokrustesbett eines einzigen Satzes zu zwängen. Das von einem Artisten kapriziöser Simplizität fügsam gemalte Bild, das der Magistrat dem Generalfeldmarschall widmete, hängt irgendwie schief.

3. Heinrich Friedrich Karl Reichsfreiherr vom und zum Stein (1816)

Heinrich Friedrich Karl Reichsfreiherr vom und zum Stein aus nassauischem Rittergeschlecht, 1757 geboren und erzogen im Geist des Pietismus und der Tradition des Heiligen Römischen Reiches, bedurfte keines förmlichen Bittstellers, um als Ehrenbürger gebührend gewürdigt zu werden.

Unter allen Ehrenbürgern ist es Freiherr vom Stein, dem Frankfurt sein höchstes Gut verdankt: die Souveränität als Freie Reichsstadt, nachdem Frankfurt während der Napoleonischen Kriege 1806 seine Unabhängigkeit verloren hatte. Nach der Völkerschlacht von Leipzig (1813) zog vom Stein nach Frankfurt, wo er als preußischer Staatsminister und Leiter der Zentralverwaltung für die Rheinbundstaaten in der Eschenheimer Gasse Quartier nahm. Als nach Napoleons Sturz im Zuge der territorialen Neuordnung Europas die Bayern als Dank für ihren Abfall von Napoleon ihre Einflußsphäre auf die Herzogtümer Würzburg und Frankfurt auszudehnen finster entschlossen schienen, eilte Stein zum Wiener Kongreß an die Donau, um Schaden von Frankfurt am Main abzuwenden. Der Wiener Kongreß (von September 1814 bis Juni 1815) ist als Treffen der europäischen Monarchen und Staatsmänner in die Geschichtsschreibung eingegangen: Hier wurde nach Napoleons Waterloo die politische Neuordnung Europas verhandelt. Die Gewinne der einen waren die Verluste der anderen. An der Erarbeitung der bekannten Ergebnisse, wie etwa der „Heiligen Allianz", die

Rußland, Preußen und Österreich verband, waren führend beteiligt der russische Zar Alexander I., Österreichs einflußreicher Außenminister Fürst Metternich, der den Kongreß leitete, der preußische Staatskanzler Fürst von Hardenberg, der britische Außenminister Viscount Castlereagh und zeitversetzt Frankreichs Außenminister Fürst C. M. de Talleyrand.

Stein wußte sich bei den schillernden Größen Europas mit seiner Argumentation und exquisiter Diplomatie Gehör zu verschaffen: „Erhält Bayern durch den Besitz von Hanau, Frankfurt, Mannheim das Land zwischen Rhein, Main und Neckar, so schneidet es Deutschland mitten entzwei. Durch die Einnahme von Frankfurt endlich bemächtigt sich Bayern einer Stadt von der größten Wichtigkeit für den Meß- und den Zwischenhandel zwischen dem Westen und dem Norden Deutschlands und der Schweiz für die Bank- und Wechselgeschäfte, es durchschneidet die Handelsstraße zwischen Holland und der Schweiz, und die im Jahre 1813 dieser Stadt gegebenen feierlichen Erklärungen der drei Mächte, welche ihr ihre Unabhängigkeit versicherten, werden zu einer Täuschung gemacht …" Besonders mit Unterstützung des Zaren sollte es Stein schließlich gelingen, die bayerischen Annexionsgelüste zu bremsen. Nachdem schon 1806 das Heilige Römische Reich Deutscher Nation aufgelöst worden war, wurde Frankfurt ab 1815 als ein selbständiges Glied des Deutschen Bundes geführt.

Stein war auf Empfehlung des Freiherrn Karl August von Hardenberg und Napoleon I. nach dem Frieden von Tilsit 1807 Minister geworden; aber schon ein Jahr später wurde er auf Napoleons Drängen wieder gestürzt: Es war vom Stein, der die preußischen Reformen zur Abwehr der Französischen Revolution angezettelt hatte. Sein Verdienst um die Kommunen liegt in der 1808 erlassenen neuen Städteordnung, deren Reform den Gemeinden die Selbstverwaltung garantierte. Damit hat er die kommunale Tradition der Staatsvergötzung durchbrochen. Stein verstand Polis als Gemeinschaft von Freien und Gleichen. Er wollte im anderen seinesgleichen sehen. Die Befreiung der Bauern aus der Leibeigenschaft ist allerdings in den Anfängen steckengeblieben. Auch ist Steins großer Plan, die deutsche Einheit zu schaffen, gescheitert.

Im Ehrenbürger-Diplom von 1816 würdigen die Bürgermeister Johann Wilhelm Metzler und Friedrich Joseph Cleymann ausdrücklich Steins Verdienst bei der Erlangung von Frankfurts Unabhängigkeit.

„Was der Freiherr vom Stein mitten in den Stürmen des Krieges, mitten im Streite der Interessen der mächtigsten Reiche für unseren kleinen Freistaat Gutes gewirkt hat, wird in den Herzen der Frankfurter Bürger ewig unvergeßlich bleiben. Der Mann, welcher mit edler Hand den ersten Grundstein zu unserer Unabhängigkeit legen half, der die zarte Pflanze der neuen Freiheit so wohlwollend schützte, kann unmöglich der dankbaren Bürgerschaft dieser Stadt den stolzen Wunsch verargen, daß er auch selbst Teil an dieser beglückenden Freiheit nehmen möge."

Stein freute sich über das kunstvolle Satzgewebe und über die „vorzügliche Ehre, ein Mitglied einer so trefflichen Bürgerschaft zu seyn". Er wünschte der Stadt Frankfurt, „daß sie noch lange blühen möge, durch Wissenschaft, Kunst und Handel, im Genuß einer wohltätigen freyen Verfassung als eine Zierde Deutschlands".

Das Bürgerrecht der Freien Stadt Frankfurt erhalte für ihn einen „erhöhten Werth, durch die Zeit in der es mir zu Theil ward, und die Eigenschaften derer, die es mir ertheilen.

Ich erhalte dieses ehrenvolle Geschenk zu einer Zeit, wo ich in das private Leben zurückgetretten bin, wo ich es also keinen anderen BewegungsGründen, als denen wohlwollenden Gesinnungen einer höchstachtungswerthen Bürgerschaft und Senats, zu verdanken habe, von einer freyen Stadt, die seit denen frühesten Epochen unserer Geschichte, eine ausgezeichnete Stelle unter denen deutschen freyen Städten behauptete, deren Bürger durch Gewerbefleiss den Wohlstand der Nation, und durch Liebe zur Wissenschaft und Kunst, ihren litterarischen Ruhm vermehrten, bey denen zu allen Zeiten, und in denen schwierigsten Verhältnissen, treue Anhänglichkeit an das deutsche Vaterland, sich aussprach und bewies, und die noch in der neuesten Zeit, bey Ausbildung einer der gegenwärtigen Lage der Dinge angemessenen Verfassung, Liebe zur gesetzlichen Ordnung, Besonnenheit, und ernste beharrliche Thätigkeit an den Tag legten."

Stein wußte seine moralische Autorität als Unterpfand der Macht mit der Einführung seiner Grammatik der politischen Ordnung tätig zu nutzen. Aber erst mit der preußischen Kommunalverfassung mutierte Frankfurt von der Bürgerstadt zu einer Einwohnerstadt, deren Bevölkerung seit 1865 von 70 000 auf über 400 000 Menschen im Jahre 1910 anwuchs. Heute zählt die Großstadt Frankfurt über sechshunderttausend Bürger, davon dreißig Prozent Ausländer.

74jährig starb Reichsfreiherr vom Stein 1831 in Cappenberg bei Lünen in Westfalen. Er wurde in Frücht bei Nassau zur letzten Ruhe gebettet. Das Gemeinwesen Frankfurt ruht auf seinen Fundamenten. Die Königsteiner Straße im Frankfurter Westend wurde ihm zu Ehren 1928 in Freiherr-vom-Stein-Straße umbenannt.

4. Hans Georg von Carlowitz (1828)

Den Namen des vor ziemlich genau dreihundert Jahren geborenen Hans Georg von Carlowitz dürfte heute kaum jemand erinnern und schon gar nicht im Zusammenhang mit Frankfurts glorreicher Stadtgeschichte. Gleichwohl muß der spätere sächsische Innenminister und Kunsthabitué eine gewisse frankfurtbezogene Rolle gespielt haben, wie sonst hätte er hier 1828 zum Ehrenbürger gekürt werden können.

Die Ehrung dürfte aber wohl mehr der schillernden Semantik von Zollverträgen zur Zeit der Kleinstaaterei in einem in verwunschene Provinzen zersplitterten Deutschland geschuldet gewesen sein als Frankfurts Prosperitätsentwicklung. Die Freie Reichsstadt hat im Kontext mit den diversen Zollvereinigungen und staatenübergreifenden Handelsvereinen damals eher eine marginale Rolle gespielt, außer anno 1828: In diesem Jahr hatte Preußen mit Hessen-Darmstadt einen Zollvertrag geschlossen, dem Frankfurt aber nicht zugehörte. Erst die Verhandlungen, die zur Gründung des Mitteldeutschen Handelsvereins führten, wurden von dem Sächsischen Minister Carlowitz frankfurtfreundlich geleitet, so daß neben Hannover, Kurhessen, Nassau und Sachsen auch die Freie Reichsstadt Frankfurt Mitglied wurde. Daß dieser Vertrag schon nach drei Jahren obsolet sein würde, war nicht abgemacht.

Hans Georg von Carlowitz wurde von Bürgermeister Ferdinand Maximilian Stark im April 1829 zum Ehrenbürger mit der sehr allgemein gehaltenen Begründung gewählt, daß er sich bei der Gründung des Mitteldeutschen Handelsvereins große Verdienste um Stadt und Handel erworben habe. Seine wirklichen Verdienste blieben im historischen Halbdunkel unkenntlich.

Der Jurist Carlowitz bedankte sich für die Ehre mit dem hübschen Aperçu: „Je mehr ich überzeugt bin, daß ich bisher nicht vermocht habe, eine so seltene Auszeichnung zu verdienen, ist meine Freude um so vollkommener, als ich in dem mir verliehenen Geschenk die Gewähr der schätzbaren Zufriedenheit eines hohen Senats mit meinen pflichtmäßigen Bestrebungen für den mitteldeutschen Handelsverein finde."

5. Ludwig von Schwanthaler (1844)

Unter den bis heute 26 Ehrenbürgern war nur einer ein Künstler: Ludwig von Schwanthaler. Dem Bildhauer wurde 1844 die Ehrenbürgerwürde für die gelungene Goethe-Skulptur zugesprochen, die heute im Park an der Gallusanlage vor sich hin rostet, statt auf dem Frankfurter Goetheplatz als Genius loci zu glänzen. Wenn schon nicht der Frankfurter Olympier selbst Ehrenbürger werden durfte, dann doch wenigstens sein berühmter Maskenbildner aus München, allerdings erst zu einer Zeit, als Goethe schon im Dichterhimmel weilte.

Schwanthaler war Meisterschüler keines Geringeren als von Bertel Thorwaldsen in Rom, von dessen Klassizismus und romantischem Stil er sich aber bald emanzipierte. Der beredte Kunstbarde war Professor an der Münchner Akademie; als vielgefragter Hofbildhauer modellierte er physiognomisch genaue Porträts auch im Ausland. Neben Goethes „schönem Bildwerk" aus dem Jahre 1844 sind am bekanntesten die bis heute erhaltenen Standbilder für Mozart (1842 in Salzburg), die Skulptur einer Nymphe im Schloß zu Anif, die kolossale Bavaria auf der Münchner Theresienwiese. Sie alle scheinen wie von der Klarheit süßen Ebenmaßes umflossen. Schwanthaler hat auch die Giebelfiguren für die Walhalla in Regensburg (1841) entworfen. Seine Figuren bedienen sämtlich einen körperlich definierten Skulpturbegriff. Auch seine Bauplastiken am Kölner Dom und jene für die Münchner Residenz und Alte Pinakothek gelten als frühe Schulbeispiele für die heute sogenannte Kunst am Bau.

Weil die Stadt pleite war und die Mäzene faul, hat Schwanthaler in Frankfurt für Gotteslohn modelliert. Heinrich Heine spottete über die Knauserigkeit der Frankfurter entsprechend: „Hört zu ihr deutschen Männer, Mädchen, Frauen / und sammelt Subskribenten unverdrossen! / Die Bürger Frankfurts haben jetzt beschlossen, / Ein Ehrendenkmal Goethes zu erbauen". Und speziell den Geldadel beschimpfte er poetisch: „Ihr Handelsherren! Behaltet euer Geld. / Ein Denkmal hat sich Goethe selbst gesetzt. / In Windeln war er einst euch nah; doch jetzt / trennt euch von Goethe eine ganze Welt".

Heinrich Heine hätte freilich wissen können, daß drei Frankfurter „Handelsherren" zehn Jahre vorher, 1834, den Mailänder Bildhauer Pompeo Marchesis beauftragt hatten, eine überlebensgroße Sitzfigur aus Mailänder Marmor anzufertigen, die den Dichterfürsten nicht versteinern, sondern in angemessenen Proportionen lebendig vor Augen stellen sollte. Diese plastische Figur von hoher klassizistischer Provenienz hat ein Bombenhagel im Jahre 1944 zerstört.

Schwanthaler hat seine Kunst „mit warmer Begeisterung" und mit „besten Kräften" ausgeübt, mit deren Hilfe er die 3 Tonnen schwere „erhabene Gestalt des Verewigten" hat bilden dürfen: gegossen aus dem Metall eroberter türkischer Kanonen. Ohne lebendes Ausgangsmaterial für die Skulptur hat der Künstler Goethes Prometheus wortwörtlich genommen: „Hier sitze ich und forme Menschen nach meinem Bilde". Goethes Mantel geriet entsprechend spiegelverkehrt, nämlich links geknöpft. Bürgermeister Gottfried Scharff begründete die Wahl Schwanthalers mit schlichten Worten: „Dem genialen Meister, der es geschaffen, hierfür eine erkennende Anerkennung zu Theil werden zu lassen, könne der Stadt selbst nur zur Ehre gereichen, und da dieser hochstehende Künstler ohnehin schon durch sein großmütiges Geschenk an die hiesigen Armen gerechten Anspruch auf unsere Dankbarkeit erworben habe, so erscheine demselben das Frankfurter Ehrenbürgerrecht zu ertheilen." Aber kühner als sein Genius war sein Ehrgeiz, der dazu tendierte, daß die Abbildung wichtiger zu werden drohte als der, den sie abbildete.

6. Vincent Rumpff (1863)

Aus meiner freilich unvollkommenen Sicht hat Vincent Rumpff so gut wie keine geschichtsträchtigen Spuren in Frankfurt hinterlassen. Von 1815 bis 1819 war er in Frankfurt Legationssekretär bei der Hamburger Bundestagsgesandtschaft gewesen. Nach dieser rechtschaffenden Tätigkeit ist er zum ehedem so betitelten Ministerresidenten der damaligen vier freien Reichsstädte aufgestiegen, dem 1824 auch die Stadt Frankfurt ihre Vertretung in Paris überträgt. Diesen Job hat Herr Rumpff vierzig lange Jahre in Frankreichs Metropole ausgesessen, ohne Aufsehen zu erregen. Immerhin durfte er sich durch gelegentliche Gespräche mit französischen Königen und Staatsmännern als privilegierteren Beamten berühmen. Diese Geschäftigkeit hat offenbar ausgereicht, daß Bürgermeister Samuel Gottlieb Müller ihm 1863 den weichgepolsterten Sessel mit Blick auf die Seine mit der Frankfurter Ehrenbürgerschaft vergoldete.

In der städtischen Urkunde wird er unverbindlich dafür gelobt, daß er „seine vorzüglichen Kenntnisse und seine unwandelbare Treue in hoher Achtung und großem Ansehen“ für die „hiesige freie Stadt“ zur Verfügung gestellt habe.

Wohl aus objektiver Selbsterkenntnis hat sich Vincent Rumpff „nicht ohne gerührte Beschämung bei Euer Hochwohlgeboren“ über das zu Recht sonst nur „in so höchst seltenen Fällen gewährte Ehrenbürgerrecht" gefreut. Der 1828 im damaligen Königreich Hannover geborene Rumpff starb 1867 in der Stadt seiner Träume an der Seine. Er wurde auf seinem Rittergut St. Vincent bei Lausanne beigesetzt.

7. Johannes von Miquel (1890)

Der Name Johannes von Miquel ist nicht nur allen Frankfurter Autofahrern ein Begriff als Wegweiser zur „Miquel-Allee“, sondern auch allen Pendlern aus dem Taunus. Bevor ihn die Stadt am Main zum Oberbürgermeister berief und er in den Jahren 1865 bis 1869 und 1876 bis 1880 hier erfolgreich wirken konnte, war der Jurist als Oberbürgermeister von Osnabrück durch seinen analytischen Verstand über Westfalen hinaus bekanntgeworden. Friedrich Stoltze hieß Miquel in dem Satireblatt *Frankfurter Latern* mit launigen Knittelversen an den Ufern des Mains willkommen:

„Im Saal zum alten Limpurg mit dem berühmten Reim / Da tagen Frankfurts Väter. Die Sitzung war geheim / … / Da saßen sie und sannen tief bis nach – Osnabrück / Und kürten und gewannen ein unbekanntes Glück / O Miquel! Du kannst lachen! Verstehst du auch die Kunst / Aus Dreck uns Gold zu machen? Der Liebe Müh’ umsonst! / Verstehst du dich auf Cliquen? Sonst lieber komme nicht! / … / Herr Miquel ist erkoren, da Frankfurt niemand hat / Der Glaube ist verloren, ach, an die eigne Stadt“ (1879).

In seiner Amtszeit wurde das schon vom Vorgänger beschlossene Opernhaus vollendet und von Kaiser Wilhelm I. 1880 mit dem gern zitierten Satz eingeweiht: „Das können sich nur die Frankfurter leisten!“ Richard Lucae hatte das Haus in den Formen der italienischen Renaissance für 4,2 Millionen Goldmark gebaut, davon stifteten die Frankfurter Bürger 1 Million. Es war in der Tat Johannes von Miquel, der gegen Ende des wissenschaftsgläubigen 19. Jahrhunderts die Frankfurter Infrastruktur weitsichtig in die industrielle Zukunft plante. Von der Parteien Gunst und Hader unbeeindruckt, kannte Miquel keine Denkverbote; kritischer Rat war ihm stets willkommene Gelegenheit, Dinge noch einmal zu bedenken.

In die Politik gestartet als Sozialdemokrat, korrespondierte der prinzipielle Gegner eines messianischen Marxismus Miquel eine Weile mit Karl Marx, der mit seinem soeben publizierten Band I seines *Kapitals* zum Widerspruch herausgefordert hatte. Der spätere nationalliberale Mitbegründer des Nationalvereins wurde 1859 Mitglied der Nationalversammlung; in den Jahren 1867 bis 1882 und 1887 bis 1896 gehörte Miquel dem Berliner Reichstag an. Hier machte er sich als Führer des rechten Flügels der Nationalliberalen einen Namen. Miquel wird kein geringer Anteil am Sturz Bismarcks zugeschrieben, und im Juni 1890 berief ihn Wilhelm II. zum preußischen Finanzminister (bis 1901). Er schuf Remedur im deutschen Steuersystem und wurde für seine „Steuerkultur" erst recht von der Stadt Frankfurt gerühmt („Miquelsche Steuerreform"). Wegen seiner ablehnenden Haltung zum Bau des Mittellandkanals mußte er 1901 demissionieren. Pünktlich nach zehnjähriger Amtszeit als Oberbürgermeister erhielt Johannes von Miquel 1890 aus der Hand seines Nachfolgers Franz Adickes das Ehrenbürgerrecht: „In dankbarer Würdigung der hervorragenden Verdienste, welche denselben als Oberbürgermeister während einer zehnjährigen Wirksamkeit an der Spitze der städtischen Verwaltung sich um das Gemeinwesen erworben hat". In seinem Dankesbrief betonte Miquel, daß ihm keine „trübe Erinnerung … den hellen Sonnenschein verdüstere, mit welchem in meinem Herzen diese Zeit der Arbeit und des Schaffens beleuchtet ist". Von ihm konnte man lernen, was im eminenten Sinne Entscheidung heißt.

8. Franz Adickes (1912)

Der langjährige Bürgermeister von Altona, der promovierte Jurist Franz Adickes hatte sich seine Verwaltungssporen als Zweiter Bürgermeister von Dortmund verdient, bevor er 1890 in das Amt des Frankfurter Oberbürgermeisters gewählt wurde, das der Friese aber erst im Januar des folgenden Jahres antrat. In seiner außergewöhnlich langen Amtsperiode von 22 Jahren explodierte die Einwohnerzahl von 180 000 auf mehr als das Doppelte, vor allem auch deshalb, weil es seinem Expansionsdrange gelungen war, 1910 über ein Dutzend nördlicher Vororte einzugemeinden. Adickes errichtete in seinen zwei Frankfurter Dezennien die im wilhelminischen Format prunkende Festhalle, die Akademie der Arbeit und die Städtische Galerie. Seiner Amtszeit verdanken sich der Ankauf der Hoechster Porzellanmanufaktur, der Rathaus-Neubau sowie die Initiative zum Bau des größten europäischen Bahnhofs: Die Moderne war angebrochen, und Adickes war ihr handelnder Prophet. So war ihm auch die Erschließung der Altstadt Voraussetzung für die Stadterweiterung als Aufbruch in ganz neue urbane wie kosmopolitische Denkbahnen. Schließlich verdankt sich Adickes sozialem Impetus die Erfindung des ersten Wohnungsamtes in Deutschland, damals eine soziale Tat. Es gelang ihm über großzügige Stifter wie Merton, die Universität gründen zu helfen, die im Jahr des Kriegsbeginns 1914 ihren Lehrbetrieb aufnahm. Der systematische Ausbau wissenschaftlicher Institute wie jenem für experimentelle Therapie ist ihm ebenfalls zu danken.

Auf wirtschaftlichem Sektor bleibt sein Engagement beim Ausbau des Osthafens als weitsichtige Planung zu würdigen: Heute ist Frankfurts Binnenhafen mit fünf Millionen Tonnen Umschlag neben Duisburg konkurrenzlos.

Adickes führte sonntags im nahen Taunus gern seinen Rauschebart und seinen Schlapphut spazieren. Er pflegte auch im Alltag die Tugend der Gelassenheit. Seine Popularität wurde mit der Taufe des neuen Rathausturms auf „Langer Franz“ belohnt.

Zwei Jahre vor Beginn des Weltkrieges und schon wenige Monate nach seinem Rücktritt aus Gesundheitsgründen wurde ihm von seinem Amtsnachfolger Georg Voigt 1912 die Ehrenbürgerschaft angetragen „in dankbarer Würdigung seiner langjährigen bedeutungsvollen Wirksamkeit“. Der am 19. Februar 1846 im hannoverschen Harsefeld geborene Adickes starb am 4. Februar 1915 in Frankfurt am Main in seinem Haus Oberlindau Nr. 3. Unter großer Anteilnahme der Frankfurter wird er auf dem Hauptfriedhof beerdigt.

9. Leo Gans (1928)

Der 1843 in Frankfurt geborene Leo Gans gehört zu den großen Pionieren der chemischen Industrie. Nach seinem Vornamen wurde sogar ein Planet benannt: „Leonisis". Gans gründete 1868 ein chemisch-technisches Labor in Fechenheim, in dem er künstliche Farbstoffe herstellte. Dies war die Geburtsstunde der Cassella-Werke; Gans gliederte in die väterliche Farbengroßhandlung Leopold Cassella eine Teerfabrik ein, und seit 1894 firmierte das Werk als „Leopold Cassella & Co." Gans gründete Filialen in Lyon und Riga, in Bombay und New York. Cassella trug den Namen Frankfurt in alle Welt. Unter Gans' Einfluß bildete sich im Jahre 1904 die Interessengemeinschaft aus Casella und den Farbwerken Hoechst. Die Gründung der I. G. Farbenindustrie im Jahre 1925 war damit vorprogrammiert. In seiner stillen, verhaltenen Art eher unscheinbar, war dem geborenen Wissenschaftsmanager mit seinen wirtschaftlichen Plänen die erfolgreiche Kongruenz der beiden Firmen gelungen.

Zur Universitätsgründung stiftete Gans eine Million Goldmark. Die neue Alma mater dankte es ihm mit der Würde des Ehrensenators. Auch des Industriellen Gans' kulturelles Engagement für die Rothschildsche Bibliothek, das Philanthropin, die Senckenbergische Naturforschende Gesellschaft und das Städel und seine Förderung der naturwissenschaftlichen Forschung dürften den Magistrat bewogen haben, dem „Wirtschaftsführer mit sozialem Verständnis" die Ehrenbürgerwürde zu verleihen. Die gußeiserne Skulptur *Der Hafenarbeiter* von Constantin Meunier an der Friedensbrücke erinnert dort noch heute an den Stifter.

Im Sommer 1928 lobte Oberbürgermeister Ludwig Landmann den Geheimrat mit folgenden Worten: „Erfindungsreichen Sinn, zuversichtlichen Glauben an den Aufstieg des heute so mächtig gewordenen Unternehmens, das Sie gründen halfen, wußten Sie zu verbinden mit Ausdauer und kaufmännischer Überlegenheit. So wurden Sie zum Wegbereiter der weltumspannenden I. G. Farbenindustrie A. G., die zu unserer Freude Frankfurt, die Heimatstadt ihres Nestors, zum Sitz ihrer Verwaltung gewählt hat. In der Geschichte der chemischen Industrie Deutschlands, ja der ganzen Welt wird Ihr Name für alle Zeiten als einer der glänzendsten verzeichnet stehen.

Über den Umkreis Ihres Berufes hinaus aber waren Sie immer ein wahrhaft großzügiger und hochgesinnter Förderer aller vaterstädtischen Bestrebungen auf dem Gebiet der Wissenschaften und Künste. Frankfurts Sammlungen danken Ihnen, dem langjährigen Führer des Städel-Kuratoriums, viele kostbare Kunstschätze. Ihr Weitblick und Ihre Opferbereitschaft haben sich bewährt, als es galt, die Universität Frankfurt zu gründen und auszubauen, wie Ihre Teilnahme dem Physikalischen Verein, der Senckenbergischen Naturforschenden Gesellschaft und anderen Anstalten förderlich gewesen ist. Sie haben frühzeitig die außergewöhnliche Bedeutung des Flugwesens erkannt, die erste Internationale Ausstellung für Luftschiffahrt mit ins Leben gerufen und entscheidend an der Schaffung des wirtschaftlich bedeutungsvollen Flughafens Frankfurt mitgearbeitet."

Dem Geist von Weimar verpflichtet, war Leo Gans dezidierter Anhänger der „Manchester-Schule", deren Ziel es war, die Freiheit des isolierten einzelnen zum Maßstab der Gesellschaftstheorie zu machen. Mit dieser Philosophie verlor der eloquente Unternehmensführer jüdischer Herkunft, der zum Protestantismus konvertiert war, im Staat des zynischen Antisemitismus gleich 1933 alle Ämter und Ehrenämter. Die Nazis leugneten damit generell die historische Tatsache, daß die Blütezeit der deutschen Kultur während der zweihundert Jahre vor Hitlers Machtergreifung sich wesentlich den philosophischen, literarischen, ästhetischen und intellektuellen Leistungen der Juden verdankte.

Leo Gans starb 1935 und erhielt auf dem Frankfurter Hauptfriedhof ein Ehrengrab.

10. Arthur von Weinberg (1930)

Der approbierte Chemiker Arthur von Weinberg, ein Neffe von Leo Gans und wie er ein gebürtiger Frankfurter (geb. 1860), hat zur Entwicklung seiner Vaterstadt zum wichtigen Industriestandort mit Weltgeltung viel beigetragen. Der promovierte Naturwissenschaftler, der auch Alte Sprachen studiert hatte, war entscheidend an Erkundungen beteiligt, die als „Weinberg-sche Synthesen" sich ebenso durch Originalität auszeichneten, wie sie durch ihren praktischen Nutzen in den synthetisch gewonnenen Farbstoffen hervorstachen. Mit diesem weltweit exportierten Verfahren wird Casella einer der größten Hersteller von Textilfarben in Europa. Der Ehrensenator der Universität Frankfurt war auch Ehrenpräsident der Senckenbergischen Naturforschenden Gesellschaft, die seiner Großmut die Stiftung vieler fossiler Objekte verdankte. 1909 errichtete der ein Jahr zuvor geadelte Mäzen, die mit dreihunderttausend Reichsmark dotierte „Arthur-von-Weinberg-Stiftung für naturwissenschaftliche Forschung und Lehre". Musisch gebildet, veranstaltete er Hauskonzerte u. a. mit dem Tenor Heinrich Schlusnus und spielte wie Albert Schweitzer leidenschaftlich Orgel. Allmorgendlich ritt er hoch zu Roß in die Firma an der Mainkur bei Fechenheim. Oberbürgermeister Ludwig Landmann kürte den Geheimrat und dreifachen Ehrendoktor Arthur von Weinberg 1930 zum Ehrenbürger mit folgender Begründung: „Als gedankenvoller Erfinder, als wirtschaftlicher Organisator haben Sie entscheidenden Anteil an dem Aufstieg des Unternehmens, das den Kern für die weltumspannende I. G. Farbenindustrie A. G. bildet, und der Wahl Ihrer Heimatstadt zu deren Hauptsitz. In der Geschichte der chemischen Wissenschaft und der chemischen Industrie Deutschlands wird Ihr Name für alle Zeiten als glänzender verzeichnet stehen.

Darüber hinaus aber waren Sie immer ein wahrhaft großzügiger und hochgesinnter Freund und Förderer der Wissenschaften und Künste. Die Universität Frankfurt verdankt Ihnen in Gründung und Ausbau erfolgreiche Unterstützung mit Rat und Tat ... Die Städtischen Bühnen sind Ihnen, dem langjährigen Mitglied des Aufsichtsrats und dem Vorstandsmitglied des Patronatsvereins zu großem Danke verpflichtet. Frankfurts Kunstsammlungen haben in Ihnen stets einen opferbereiten Freund gehabt. Wo immer es galt, das geistige, das wissenschaftliche, das künstlerische Frankfurt zu fördern, haben Sie regen Anteil genommen. Immer auch durften die vielfachen Wohlfahrtseinrichtungen unserer Stadt auf Sie als einen menschenfreundlichen und hilfsbereiten Gönner rechnen."

Der enge Freund Paul Ehrlichs wird seiner jüdischen Herkunft wegen 1942 ins KZ Theresienstadt deportiert, wo das Leben des 82jährigen Weinberg ein Jahr später elend ausgelöscht wurde.

Indem sich die Nationalsozialisten Ende 1938 auf die „Verordnung über die Sühneleistung der Juden" vom 12. November 1938 beriefen, arisierten sie gnadenlos das Weinbergsche herrschaftliche Anwesen „Haus Buchenrode" an der Forsthausstraße; diesen Besitz mußte Weinberg förmlich an die „Finanzkasse Frankfurt" abtreten.

Kaum zu glauben: Gleichzeitig tolerierte eine straff ideologisierte NS-Erziehungspolitik in diesem Haus die Einrichtung eines Musischen Gymnasiums, dessen fünfzig Räume sich hervorragend als Internat für 130 Schüler verwenden ließen. Diese „Ausleseanstalt" konnte unreglementiert bis Kriegsende arbeiten – eine ideologiefreie Oase inmitten einer geistigen Sahelzone.

00/00 Adolf Hitler, Hermann Göring

Worüber nicht geredet werden darf, muß aber geschrieben werden dürfen: Deren Größenwahn wir den Sturz ins tiefe Chaos und unsere zerbombte Stadt Frankfurt verdanken, Adolf Hitler und seinem Spießgesellen Hermann Göring, wurden vom nationalsozialistischen Magistrat schon zwei Monate nach der Machtergreifung 1933 zu Ehrenbürgern ernannt. Die Urkunde für Hitler hat folgenden Wortlaut: „Dem durch das Vertrauen des Herrn Reichspräsidenten berufenen, durch das deutsche Volk zum Führer erkorenen Reichskanzler Adolf Hitler, der voll Vertrauen auf Gottes Vorsehung die völkischnationale Bewegung entfacht, mit unerschütterlichem Willen die deutsche Erneuerung vorbereitet hat, der, die Gegensätze zwischen den Stämmen, Klassen und Parteien überwindend, sein Werk durch Neugestaltung des einigen Deutschen Reiches gekrönt hat, verleiht die Stadt Frankfurt am Main, die geschichtliche Mittlerin zwischen Nord und Süd, von dem Wunsche beseelt, seinen Namen mit dem ihrigen für immer zu verbinden, in tiefer Dankbarkeit und Verehrung das Ehrenbürgerrecht."

Hitler erhielt am Donnerstag, dem 15. Juni 1933 mittags um halb zwei in der Reichskanzlei aus der Hand von Oberbürgermeister Friedrich Krebs neben der schmucken Urkunde einen von Kunstgoldschmied Karl Borromäus Berthold, „einem Künstler von deutscher Art", gefertigten Goldring im Wert von siebenhundert Reichsmark plus Spezial-Etui im Wert von vierzig Reichsmark. Dankesworte von Hitler sind nicht überliefert.

Die Urkunde für Hermann Göring folgt einer ähnlich hurrapatriotischen Tonart: „Dem Preußischen Ministerpräsidenten Hermann Göring, der im Weltkriege als unbezwungener ritterlicher Kampfflieger dem deutschen Heere Vorbild soldatischer Tapferkeit war, der nach dem Zusammenbruch als unermüdlicher Kämpfer für unseres geliebten Vaterlandes Wiedergeburt gestritten und gelitten, sich als treuester Paladin unseres Führers bewährt und um die Gestaltung des neuen Reiches unvergeßliche Verdienste erworben hat, verleiht die alte Kaiser- und Krönungsstadt Frankfurt am Main in Dankbarkeit und Treue das Ehrenbürgerrecht."

Der ehemalige erfolgreiche Jagdflieger und Träger des Pour le mérite Göring wünschte sich als Draufgabe statt eines mickrigen Rings ein veritables Schwert. Nicht irgendein käufliches aus einem Waffenladen, sondern eine kunstvolle Spezialanfertigung, wie sie der sagenhafte Zwerg Mime im Lied der Nibelungen geschmiedet hat, ein germanisches Schwert von der Schärfe des „Balmung", mit dem Recke Siegfried einst den Lindwurm erschlagen hatte. Kunstschmied Karl B. Berthold schmückte den silbervergoldeten Griff mit kostbaren Edelsteinen; auf der über einen Meter langen blauflammenden Damaszenerklinge aus Edelstahl gehämmert, war in Goldbuchstaben der hehre Spruch eingraviert: „Ehre und Freiheit sind das Fundament des neuen Reiches". Die Kosten für den „Balmung" in Höhe von eintausendsechshundert Reichsmark wurden mit Magistratsbeschluß Nr. 324 vom 7. Juni 1933 einstimmig gebilligt.

Die Zeremonie zelebrierte Parteigenosse Oberbürgermeister Friedrich Krebs unter braunen Uniformen im bis dahin ehrwürdigen Kaisersaal. In seiner kurzen Dankesrede betonte Göring „sichtlich bewegt", daß gerade in Frankfurt das Ehrenbürgerrecht für ihn eine besondere Bedeutung habe. Nur wenige Städte im Reich könnten auf eine solche Vergangenheit verweisen wie die alte Kaiserstadt. Bereits einmal hätten fremde Mächte versucht, ihre Hand nach dieser Stadt, die in früheren Zeiten das Symbol der Macht im Staate gewesen sei, auszustrecken. Wenn heute der Oberbürgermeister ihm dieses Schwert überreiche, so übernehme er gleichzeitig damit die heilige Verpflichtung, einzustehen dafür, daß niemals mehr ein Fußbreit deutschen Landes von frevlerischer Hand hinweggerissen werde. Dieses Schwert werde für ihn stets ein Mahner sein, dafür zu sorgen, daß das Reich erhalten bleibe. Er übernehme das Schwert gleichzeitig auch als ein Symbol des Friedens. Denn solange das Schwert in seiner Hand ruhe, werde er auch der Hüter des Friedens für uns und alle Nationen Europas sein. Aber mit dieser Übernahme wolle er gleichzeitig den Dank ausdrücken an den Führer, der dieses alles geschaffen habe (Zitat nach Städt. Anzeigenblatt Nr. 46/1933).

Göring schloß seine Rede mit dem obligatorischen „Sieg-Heil auf den Führer Adolf Hitler“, und alle seine Prätorianer stimmten dröhnend in den Jubel ein.

Dieses traurige Kapitel in der Geschichte der Ehrenbürgerverleihungen meinte der Magistrat mit Beschluß Nr. 772 vom 6. Oktober 1947 mit folgendem lakonischen Text getilgt zu haben: „Hitler und Göring waren unwürdig, Ehrenbürger der Stadt Frankfurt zu sein. Da das Ehrenbürgerrecht mit dem Tode erlischt, erübrigt sich eine förmliche Aberkennung. Die Namen der Genannten sind unter den früheren Ehrenbürgern der Stadt nicht mehr zu nennen.“

Also gelten die beiden Nazigrößen damit auch in diesem Buch als „erloschen“, deshalb auch keine Fotos der Verblichenen.

11. Paul von Beneckendorf und von Hindenburg (1933)

Aufgrund welcher Verdienste der greise Generalfeldmarschall Paul von Beneckendorf und von Hindenburg Ehrenbürger der Stadt geworden ist, läßt sich aus heutiger Perspektive nicht mehr objektiv nachvollziehen. Welche Leistungen hatte er für die Stadt Frankfurt erbracht? Jedenfalls lautete die damalige Begründung für ihn und Hitler unisono, sie bekämen die Ehrenbürgerschaft „in dankbarer Würdigung ihrer hervorragenden Verdienste um die machtvolle nationale Erhebung“, eine bis heute nicht rehabilitierte Farce. Speziell auf den national trunkenen Hindenburg gemünzt, hieß es in der urkundlichen Laudatio, er habe „als Vater des Vaterlandes den Strömen der nationalen Kräfte den Weg“ bereitet. Hindenburg hielt es nicht einmal für nötig, höchstselbst nach Frankfurt zu kommen, um die Urkunde in Empfang zu nehmen. Der nationalsozialistische Oberbürgermeister Friedrich Krebs wurde nach Berlin beordert, um dem Reichspräsidenten dort das Dokument zu überreichen.

Wie in Schulfibeln überliefert, errang der mit 66 reaktivierte Hindenburg als Oberbefehlshaber der 8. Armee 1914 seinen legendären Sieg bei Tannenberg gegen die Russen, ein Jahr später eroberte er Polen. Diese Siege machten ihn zum volkstümlichsten Heerführer des Ersten Weltkrieges. Seit 1916 Chef der obersten Heeresleitung, verfügte er über uneingeschränkte Vollmachten über die gesamte Kriegsstrategie. Nach den Niederlagen an der Westfront, womit 1918 das Ende des Krieges eingeläutet wurde, betrieb der Generalfeldmarschall offensiv die Abdankung Kaiser Wilhelms II. Nach Unterzeichnung des Versailler Friedens, den er mit dem pejorativen Begriff „Schandfrieden" belegte, trat er zurück.

Als spätberufener Politiker ließ sich der Militär nach dem Tode von Reichspräsident Friedrich Ebert im knusprigen Alter von 85 Jahren von den unierten Rechtsparteien 1925 als Kandidat für das höchste Staatsamt reaktivieren. Im zweiten Wahlgang erhielt der Greis 53 % der Stimmen. Der zur Meisterung der Wirtschaftskrise die berüchtigten Notverordnungen erlassen hatte, Hindenburg, jagte Heinrich Brüning unter dem Einfluß großargrarisch-konservativer Kreise 1932 aus dem Amt des Reichskanzlers, weil dieser zunehmend mit Hilfe der SPD seine Politik durchzusetzen hoffte, und nach dem Sturz Kurt von Schleichers machte er mit der Ernennung des „böhmischen Gefreiten" Adolf Hitler zum Reichskanzler den 30. Januar 1933 zum Schicksalstag der Nation. Im riskanten naiven Vertrauen auf die Utopie einer sittlichen Erneuerung durch eine „nationale Erhebung" ebnete Hindenburg, der „Ersatzkaiser", mit der Unterzeichnung der „Verordnung zum Schutz von Volk und Staat" vom 28. 2. 1933 und dem Ermächtigungsgesetz vom 24. März desselben Jahres den Weg zum Ausbau der NS-Diktatur.

Mit dem für die beiden antipodischen Gestalten in der Garnisonkirche zum heroischen Kult inszenierten „Tag von Potsdam" am 21. März 1933 hatte Hindenburg (mit Pickelhaube) per Handschlag mit Hitler (im lächerlichen Cutaway) eine camouflierte Versöhnung von Nationalsozialismus und preußischer Tradition gefeiert. Vom Turm der Garnisonkirche erklang dazu der Preußenoldie „Üb' immer Treu und Redlichkeit bis an dein kühles Grab". Im Vibrato des Überschwangs lobt Hitler Hindenburg mit der frappanten Phrase: „Heute, Herr Generalfeldmarschall, läßt Sie die Vorsehung Schirmherr sein über die neue Erhebung unseres Volkes." Und Hindenburg beschwört außer den historischen Augenblick „den alten Geist dieser Ruhmesstätte", der die Deutschen „in nationaler Selbstbestimmung und seelischer Erneuerung zusammenführt zum Segen eines ... freien stolzen Deutschlands". Seit diesem grundperversen Versöhnungstag des „alten Preußen" mit der „jungen nationalsozialistischen Bewegung" geisterte der zur abgründigen Drollerie neigende Hindenburg als hochdekorierter Statist bis zu seinem bemoosten Ende im August 1934 durchs „Dritte Reich". Hindenburgs Biographie läßt nur insofern eine entfernte Beziehung zu Frankfurt erkennen, als einer seiner leiblichen Vorfahren, der 1631 gestorbene angesehene Bankherr Johann von Boden Frankfurts erster Multimillionär war und Mitbegründer der hiesigen Börse gewesen ist.

Mit Ausnahme der Verleihung der Ehrenbürgerrechte an die oberste Riege der Diktatur (Hitler, Göring, Hindenburg) wurde während der Nazi-Zeit niemand mehr mit dieser durch diese „glorreichen Drei" entwürdigten Ehrung ausgezeichnet.

Erst im Jahre 1950 erhielt wieder ein würdiger Kandidat die Frankfurter Ehrenbürgerschaft: der Industrielle Georg Hartmann.

12. Georg Hartmann (1950)

Der 1870 in Frankfurt geborene Metzgersohn Georg Hartmann absolvierte eine kaufmännische Lehre und konnte sich in England und Frankreich weiterqualifizieren. Im Jahre 1937 erweiterte der Kosmopolit die Bauersche Schriftgießerei durch Filialisierung der Schriftgießerei de Neufville in Barcelona zu einem solventen Unternehmen, indem er die gefährdete Typographie durch wirkungsvolle Alternativen wie z. B. durch ein neues Letternsystem ersetzte. Durch die Übernahme der Schriftgießerei Flinsch während des Krieges schuf er eine konkurrenzlose Firma mit später weltweiter Ausstrahlung. Hartmann gründete schließlich als neue Produktionsstätte die Emda, die zahnmedizinische Geräte herstellte. Der Fabrikant erkannte schon früh seine Sozialverpflichtung und machte sich auch als Mäzen einen Namen: Er unterstützte den Wiederaufbau des Goethe-Hauses und war zeitweilig Vorsitzender des Freien Deutschen Hochstifts.

Die von Oberbürgermeister Walter Kolb am 13. Juli 1950 unterzeichnete Verleihungsurkunde hat folgenden Wortlaut: „Die Verleihung erfolgt in dankbarer Anerkennung der hervorragenden Verdienste, die Herr Joh. Georg Hartmann sich um die wirtschaftliche Geltung und das kulturelle Ansehen seiner Vaterstadt erworben hat. Durch seine Umsicht und Tatkraft ist die Bauer'sche Gießerei zu Weltruf gelangt. Das Städel'sche Kunstinstitut, der Kunstverein, das Freie Deutsche Hochstift, die Universität und die Senckenbergischen

Anstalten, der Bund tätiger Altstadtfreunde sowie zahlreiche einzelne Künstler und Wissenschaftler haben immer wieder zuerst auf ihn als Freund, Ratgeber und Mäzen zählen können. Indem er die kulturellen Anliegen seiner Zeit in vorbildlicher Weise förderte, hat er zugleich ein neues und bleibendes Beispiel jenes bürgerlichen Gemeinschaftssinnes gegeben, der von jeher ein besonderes Ruhmesblatt in der Geschichte Frankfurts war und auf den wir heute beim Wiederaufbau unserer zerstörten Stadt und ihrer kulturellen Einrichtungen mehr denn je angewiesen sind."

13. Richard Merton (1956)

In Frankfurt geboren wurde auch der Ehrenbürger Richard Merton. Sein Vater Wilhelm Merton hatte 1881 die Metallgesellschaft gegründet. Mit dem Namen des Vaters ist vor allem auch die überfällige Gründung der Frankfurter Universität im Jahre 1914 urkundlich wie rühmlich verbunden. „Der einzige Gesichtspunkt für meinen Vater war der Gemeinnutz seiner Vaterstadt und seines deutschen Vaterlandes. In dieser Auffassung hat er mich erzogen", sagte Richard Merton über seinen Vater Wilhelm.

Nach zahlreichen längeren Auslandsaufenthalten als väterlicher Statthalter wurde Richard Merton 1910 Direktor einer in England gegründeten Tochterfirma. Ehemaliger Adjutant von Weltkriegsgeneral Wilhelm Groener, nahm Merton 1919 als Mitglied der deutschen Friedensdelegation an den Versailler Verhandlungen teil. 1927 wurde Richard Merton Aufsichtsratsvorsitzender der Metallbank und der Metallurgischen Gesellschaft, später avancierte er zum Aufsichtsratsvorsitzenden der Metallgesellschaft. Ab 1928 diskutierte er als deren Mitglied für die Deutsche Volkspartei im Reichstag.

Als die Nazis seine jüdische Herkunft entdeckten, wurde er 1938 vorübergehend in das Konzentrationslager Buchenwald verbracht, als dekorierter Weltkriegsteilnehmer aber bald wieder entlassen. Er entzog sich weiterer Drangsal im Frühjahr 1939 durch Emigration nach England. Bald nach dem Krieg zurückgekehrt, verdankt ihm die Stadt zahlreiche Initiativen zur Wiederbelebung der heimischen

Wirtschaft. Er wurde schon bald zum Mitglied in den Außenhandelsbeirat berufen. Als nachhaltig sollte sich seine Initiative zur Gründung des Stifterverbandes für die deutsche Wissenschaft erweisen. Für Richard Merton waren Wissen und Kultur entscheidende Produktionsmittel.

Zu seinem 75. Geburtstag erhielt Richard Merton auf Antrag von Oberbürgermeister Walter Kolb im Jahre 1956 das Ehrenbürgerrecht für „hervorragende Verdienste … als führender Wirtschaftler sowie als Förderer und Initiator sozialer und wissenschaftlicher Einrichtungen". Merton habe eine große Tradition fortgesetzt, „die in der Geschichte unserer Stadt von jeher ein Ruhmesblatt war". Wegen Krankheit konnte Merton die Urkunde erst im April 1957, dann aus der Hand von Oberbürgermeister Werner Bockelmann in Empfang nehmen.

In einem kurzen Brief vom 2. April 1957 an Bürgermeister Walter Leiske bedankt sich Merton nach längerer Krankheit „für die wirklich nette Ansprache, nach der mir der neue Oberbürgermeister meine Ehrenbürgerurkunde überreichte. Die etwas wacklige Schrift ist immer noch eine Folge der verlorenen 30 Pfd. Gewicht. Anscheinend kommen die Muskeln und die Bewegungsfähigkeit der Hände beim Schreiben zu allerletzt wieder auf Touren". Richard Merton ist 1960 in Frankfurt gestorben.

14. Otto Hahn (1959)

Auch mit dem Nobelpreisträger Otto Hahn erhielt wieder ein Frankfurter die Ehrenbürgerschaft, der vierte Sohn eines Glasers, dessen Urenkel heute in Frankfurt Museumsvitrinen baut. An Otto Hahns 80. Geburtstag am 8. März 1959 verlieh Oberbürgermeister Werner Bockelmann die Urkunde im Max-Planck-Institut Göttingen mit folgender Widmung: „Die Vaterstadt Frankfurt ehrt damit einen Gelehrten von internationalem Ruf, der durch bahnbrechende Entdeckungen auf dem Gebiet der Atomforschung, der Radioaktivität und der Radiochemie überragendes Ansehen in der Welt genießt. Sie würdigt zugleich ihre Verbundenheit mit der Persönlichkeit von ungewöhnlicher Begabung und Schaffenskraft, deren wissenschaftliche und administrative Arbeit dem Fortschritt und dem Wohl der ganzen Menschheit dient."

Otto Hahn hat sich mit Brief vom 8. März 1959 für die Ehrung bedankt: „Als Frankfurter, der ich in meinem Herzen immer geblieben bin, hat es mich unendlich gefreut, daß mir die Stadt Frankfurt das Ehrenbürgerrecht verliehen hat. Ich bin fast beschämt, wenn ich die Namen derer lese, die vor mir diese ungewöhnliche Auszeichnung bekommen haben. Mein Dank gilt allen an der Verleihung beteiligten Körperschaften der Stadt, die ja auch immer wieder für die Bedürfnisse der Max-Planck-Gesellschaft hilfsbereites und großzügiges Verständnis bewiesen haben."

Seit 1969 ehrt Frankfurt den Solitär unter den naturwissenschaftlichen Forschern mit der Verleihung eines „Otto-Hahn-Preises" für solche jungen Naturwissenschaftler, die sich um die friedliche Nutzung der Atomenergie gescheite Gedanken machen.

Otto Hahn, der 1901 mit einer Studie auf dem Gebiet der organischen Chemie promoviert hatte, arbeitete zwei Jahre in London als Assistent des Chemikers Sir William Ramsey, und danach war er enger Mitarbeiter des Atomforschers Sir Ernest Rutherford in Montreal. Hahn lehrte fast ein Vierteljahrhundert lang als Professor an der Berliner Universität, und von 1929 bis 1945 war er Direktor des Kaiser-Wilhelm-Institutes in Berlin-Dahlem. Er entdeckte schon Anfang des Jahrhunderts radioaktive Elemente wie das Radiothorium, Radioactinium und Protactinium. Nach Vorarbeiten der befreundeten Lise Meitner gelang ihm die sensationelle Spaltung von Urankernen bei Neutronenbestrahlung. Weil sie Jüdin war, mußte die Meitner 1938 emigrieren. Wenige Monate später gelang die erste Atomspaltung. Für diese Jahrtausenderfindung erhielt Hahn 1944 den Nobelpreis. Otto Hahn starb am 28. Juli 1968 in Göttingen.

Nach traumatischer Zeugenschaft der 1945 über Nagasaki abgeworfenen ersten Atombombe hat der seitdem zukunftsskeptische Chemiker und Forscher die „Mainau-Deklaration" gegen die Gefahren der Atomenergie initiiert, die etliche Nobelpreisträger unterzeichnet haben. Zusammen mit Werner Heisenberg hat er 1957 seine Unterschrift auch unter die „Göttinger Erklärung" für den Verzicht auf Atomwaffen gesetzt. Otto Hahn pflegte zu Frankfurt ein dezidiert zwiespältiges Verhältnis, das er als Gleichnis formulierte: „Frankfurt und Radiumforschung haben eines gemeinsam: Sie stecken beide voller Merkwürdigkeiten." Nach dem Kriege wurde Otto Hahn Präsident der neugegründeten Max-Planck-Gesellschaft in Göttingen.

Otto Hahn veröffentlichte 1968 unter dem Titel *Mein Leben* seine Autobiographie.

15. Theodor Heuss (1959)

Im Jahre 1959 wurde Theodor Heuss gleich mit zwei hohen Auszeichnungen in Frankfurt am Main geehrt: als Ehrenbürger der Goethestadt und als Friedenspreisträger des Deutschen Buchhandels.

Die Fächerkombination Kunstgeschichte und Staatswissenschaften hat Heuss zu dem prädestiniert, was den Erfolg seiner politischen Karriere begründen wird. In jungen Jahren schon Geschäftsführer des Deutschen Werkbundes in Berlin, zog es ihn bald in die Politik. Für die linksliberale Deutsche Demokratische Partei saß er 1924 bis 1928 und 1930 bis 1933 für die Deutsche Staatspartei im Reichstag, wo er 1933 für das Ermächtigungsgesetz stimmte. (Dieses Gesetz ermöglichte Hitler, ohne Mitwirkung des Reichstags Gesetze zu erlassen.) Schon bald danach zur persona non grata des Hitlerregimes erklärt, zog er sich auf die Erwerbsbasis seiner journalistischen Qualitäten zurück und schrieb u. a. für die *Frankfurter Zeitung* und die Wochenschrift *Die Hilfe*, deren Herausgeber er bis 1936 war.

Nach dem Krieg wirkte Heuss segensreich zunächst als Kultusminister des Landes Baden-Württemberg; und als Mitglied des parlamentarischen Rates formulierte er das Grundgesetz wesentlich mit. 1949 für die FDP in den Bundestag gewählt, wurde er deren Fraktionsvorsitzender. Schon einen Monat später kürte ihn die Bundesversammlung im zweiten Wahlgang zum Bundespräsidenten. 1954 trat er seine zweite Wahlperiode an. Der unerschütterlich an die magische Kraft des Wortes glaubte und selber Texte mit literarischem Rang schrieb, hat durch sein Charisma und seine gelebte Liberalität zum Ansehen der neuen demokratischen Republik nachhaltig beigetragen: „Die Deutschen müssen bei dem Wort Demokratie ganz von vorne beginnen im Buchstabieren, auch wenn sie sich heute Demokraten nennen."

Heuss hatte schon früher die ehemalige Reichsstadt oft besucht, weil ihm die freiheitliche Atmosphäre Frankfurts gefiel, der er jenes vielzitierte Wort schenkte: „Immer wenn ich hier war, spürte ich beides: Weite einer Weltgesinnung und Nähe eines Heimatgefühles – Goethe und Friedrich Stoltze." In seinem Buch *1848 – Werk und Erbe* beschreibt er seine politischen Wurzeln, die seine Zukunftsvision prägten.

Nicht ohne Sinn für Effekte hat er hier in Frankfurt mit vielen Reden auf Kongressen und zu Jubiläen rhetorische Maßstäbe gesetzt, die nachhaltige publizistische Wirkung hatten: bei der Kundgebung für Bürgerrechte, der Eröffnung des Goethe-Hauses, der Laudatio auf den Friedenspreisträger Albert Schweitzer, dem Kongreß des Internationalen PEN, dem 50jährigen Jubiläum des Deutschen Städtetages, der Wiedereinweihung des Kaisersaals im Römer, dem Evangelischen Kirchentag und vielen anderen Anlässen. Weil Heuss nicht nur durch seine leidenschaftliche politische Moral, sondern auch durch seine sprachmächtige Rhetorik so populär geworden war, nannte ihn der Volksmund schlicht und herzlich „Papa Heuss". Die Stadt Frankfurt hat ihm zu Ehren 1964 die Rheingau-Allee in Theodor-Heuss-Allee umbenannt.

Oberbürgermeister Werner Bockelmann zeigte sich in seiner Laudatio glücklich zu wissen, „daß Ihr ganzes Lebenswerk als Politiker und Staatsmann, als Schriftsteller und – ich sage einfach – als Mensch, von der geschichtlichen und demokratischen Tradition unserer Stadt, die ihre Freiheit über Jahrhunderte bewahren konnte, mitgeprägt worden ist.

Es ist auch mehr als Zufall, daß der große Reformer der – wie Sie es einmal ausgedrückt haben – vordemokratischen Zeit, Freiherr vom Stein, ebenfalls Ehrenbürger dieser Stadt gewesen ist. Und es fügt sich fast wie selbstverständlich, daß Friedrich Naumann, der Ihnen Leitbild war, von hier aus seinen Ausgang genommen hat …

Sie haben bei der Eröffnung fast jeder Buchmesse an dieser Stelle gestanden; und allen denen, die Zeugen sein durften, werden die Minuten im Gedächtnis bleiben, in denen Sie an der Seite Martin Bubers diesen Raum betreten und in dem Sie Albert Schweitzer und Carl Burkhard in unsere Paulskirche geleitet und die Laudatio auf sie gehalten haben."

Heuss stand nie auf den Zinnen der Partei, weil er wußte, daß der Parteigeist ein Prokustes ist, der die Politik schlecht bettet. Der überzeugte Liberale Heuss war gelegentlich auch zum Risiko des Irrtums bereit (Ermächtigungsgesetz!). Deutliche Worte bis hinauf in die Etagen der Mächtigen galten als Attribut seiner Souveränität.

16. Albert Schweitzer (1959)

Mit dem Goethe-Preis (1928), dem Friedenspreis (1951), dem Friedensnobelpreis (1952), dem Orden Pour le mérite (1954) ausgezeichnet, erhielt Albert Schweitzer 1959 leicht verspätet auch die Ehrenbürgerwürde der Stadt Frankfurt. Der universal gebildete „Urwalddoktor" war in gleicher Weise als Tropenarzt, Theologe, Philosoph, Musiker, Schriftsteller und Rhetor eine Ausnahmeerscheinung. Die facettenreiche Persönlichkeit Albert Schweitzer hatte zu Frankfurt und seinem kulturellen Erbe eine sehr persönliche Affinität entwickelt, die ihn immer wieder in die Goethe-Stadt verschlug. Er hielt zu Goethes hundertstem Todestag die Gedenkrede und weihte am 28. August 1954 das wiederaufgebaute Goethe-Museum ein. Ein Jahr später besuchte Schweitzer unsere Stadt wiederum an Goethes Geburtstag, um den Grundstein der Schweitzer-Siedlung zu legen und die Albert-Schweitzer-Schule am Frankfurter Berg einzuweihen. Als evangelischer Geistlicher hat er 1908 Ellen Knapp mit Theodor Heuss getraut: „Ihr seid das Salz der Erde" (Mt. 5,13).

Um die Not medizinischer Versorgung u. a. für Leprakranke und für Patienten, die von der Schlafkrankheit heimgesucht wurden, im Urwald Äquatorialafrikas durch tätige medizinische Hilfe lindern zu helfen, gründete er 1913 das Tropenhospital in Lambarene am Ogowe-Fluß in Gabun. Dieses ebenso beispiellose wie beispielhafte Wagnis seines Lebens sollte nach den Worten von Theodor Heuss „in seiner sehr opferreichen und ganz phrasenlosen Zähigkeit noch die Seelen der Welt bewegen". 1917 als Zivilinternierter von den Franzosen nach Europa abgeschoben, verdiente er mit Vorträgen und Zeitungsartikeln sowie mit Orgelkonzerten mit Bach-Neuinterpretationen das notwendige Bargeld, um 1924 in Lambarene ein eigenes Spital zu errichten, das er mit seiner Frau, einer approbierten Krankenschwester, bis zu seinem Tod im Jahre 1965 leitete. Durch die Verdoppelung des Wortes durch die Tat, konkret: mit dem Nobelpreis geadelt, hat er mit dem Preisgeld selbstlos den Bau eines weiteren Spitals finanziert, um die Qualen sterbenskranker Menschen zu mildern und einigen vielleicht ihr Glück zu mehren.

Als evangelischer Theologe hat Schweitzer wegweisende Beiträge zur Leben-Jesu-Forschung verfaßt, und beeinflußt von Goethe und Schopenhauer hat er die sittliche Maxime der Ehrfurcht vor dem Leben gepredigt. Konsequent trat er nach dem Zweiten Weltkrieg prominent gegen die Atomversuche der Amerikaner auf. Oberbürgermeister Werner Bockelmann pries Albert Schweitzers „herrliche Gedanken, die Sie in Ihren theologischen, in Ihren musikwissenschaftlichen und in Ihren philosophischen Werken niedergelegt haben. Ich meine aber vor allem das Beispiel, das Sie der Menschheit vorgelebt haben. Das Beispiel nicht nur eines Bekenntnisses zur Nächstenliebe, sondern Ihrer die ganze persönliche Hingabe formenden praktischen Ausübung". In der praktischen Erfahrung verdichtete Schweitzer seine wissenschaftlichen Erkenntnisse.

Mit anspielungsreichen Dankesworten knüpfte Schweitzer ein neues Band mit der Goethe-Stadt Frankfurt: Er habe es immer so eingerichtet, nach Europa zu kommen, damit er beim Gedenken an Goethes Geburtstag in der Stadt sein könne; und er dankte „für den astronomischen Vorgang, daß ich armseliges Möndlein heute vor der gewaltigen Sonnenscheibe Goethes vorübergehe" und daß „dieses arme Gestirnlein sich selber schon in der Anziehungskraft Goethescher Sonne gravitierend erfaßt hat". Die auch wegen ihres literarischen Ranges nachlesenswerte Dankesrede Schweitzers beeindruckt durch intime Kenntnis des Goetheschen Werkes. Kein Ehrenbürger vor oder nach

Schweitzer hat seine Rede so dezidiert dem berühmtesten Sohn Frankfurts gewidmet, indem er dessen Werk als für seine Ichwerdung segensreich analysierte. Seine Beschäftigung besonders mit Goethes *Faust*, *Wilhelm Meister* und *Harzreise* läßt er in dem Satz kulminieren: „Ich lernte Goethe lieben." Schweitzer hat beeindruckt, „welche Bedeutung es für uns alle hat, daß Goethe in dem Suchen nach der letzten Bestimmung des Menschen, diejenigen, in denen er sich selber in Dichtung gestaltet, Faust und Wilhelm Meister, zuletzt in einem ganz unscheinbaren Schaffen enden läßt, daß sie darin Mensch werden in dem vollsten Sinne, in dem sie es nach seinen Gedanken werden konnten." Nachdem Schweitzer Goethes Plädoyer für Gerechtigkeit am Beispiel von Philemon und Baucis in *Faust II* für seine eigene Landgewinnung im Urwald in Anspruch genommen hat, folgt die Conclusio: „Daß Goethe in den Abschluß seines *Faust*, diese ... Episode einfügt, läßt uns tief hineinschauen in die Art, wie die Sorge um die Gerechtigkeit und die Sehnsucht, das, was sein muß, zu verwirklichen, ohne zu schädigen, an ihm gearbeitet haben." Was Schweitzer von Goethes Werk hinüberretten wollte in seine Zeit, in die dreißiger Jahre, gilt in Schweizers Worten auch für die Zukunft von uns Heutigen: „Ein Dreifaches liegt uns ob in Goetheschem Geiste. Wir haben zu ringen mit den Umständen, daß die Menschen, die durch tiefe Umstände in die Arbeit eingeengt und in ihr verzehrt werden, dennoch die Möglichkeit der Geistigkeit behalten. Wir haben zu ringen mit den Menschen, daß sie in der jetzigen Ablenkung auf das Eigentliche, das in unserer Zeit gegeben ist, den Weg zur Verinnerlichung finden und auf ihm bleiben. Wir haben zu ringen mit uns und all den anderen, daß wir in einer Zeit verworrener und humanitätsloser Ideale den großen Humanitätsidealen des 18. Jahrhunderts treu bleiben, sie in die Gedanken unserer Zeit übertragen und zu verwirklichen versuchen."

Goethe sagte: „Das größte an einem Denker wird immer bleiben, daß seine Gedanken und sein Leben eine Einheit bilden." Auch deshalb war ihm ein Unisono der Hochschätzung schon zu Lebzeiten gewiß. Albert Schweitzer starb 1965 in Lambarene: „Das einzig Wichtige im Leben sind die Spuren von Liebe, die wir hinterlassen, wenn wir Abschied nehmen."

17. Max Horkheimer (1960)

Max Horkheimer wurde Ehrenbürger der Universitätsstadt Frankfurt schon acht Jahre bevor seine und Adornos kritische Theorie *Dialektik der Aufklärung* (1947) Einfluß auf die Studentenrevolte von 1968 zeitigte. Ausgehend von der Philosophie Hegels und Kants sowie von den Erkenntnissen Freuds und Karl Marx' bis zu den Maximen der Aufklärung, trachtete er, mit intellektueller Urteilsschärfe den Widerspruch zwischen der Rationalität der technisch-industriellen Gesellschaft und ihrer allgemeinen Irrationalität aufzuhellen. Mit dem Ziel einer Gesellschaftsordnung, die Freiheit und Gerechtigkeit verwirklichen hilft, strebte Horkheimer die ideologiekritische Reflexion von kulturellen und gesellschaftlichen Prozessen an. Auch wenn er in der *Dialektik der Aufklärung* der Versöhnung von Natur und Gesellschaft das Wort redete, so vollzog er später die Wende zu einer Art negativer Theologie. Er versuchte die „menschliche Sehnsucht nach dem ganz anderen" absolut zu setzen, indem er für eine humanitäre Praxis den geistigen Boden bereitete. Denker gegen den Strom, sind Horkheimers Arbeiten geleitet durch die Motive einer sich selbstkritisch reflektierenden Aufklärung.

Horkheimer wurde 1930 Professor für Sozialphilosophie an der Goethe-Universität Frankfurt, deren Fakultät er zum Zentrum der Sozialphilosophie entwickelte. 1933 emigrierte er über Genf und Paris nach Los Angeles. Gleich nach seiner Rückkehr 1950 gründet Horkheimer in Frankfurt noch einmal das von den Nazis liquidierte Institut für Sozialforschung an der Senckenberganlage 26, dieses Mal gemeinsam mit dem anderen Mandarin der kritischen Theorie, Theodor W. Adorno. Mit ihrer Rückkehr knüpfen die beiden intellektuellen Emigranten an die alte jüdische Tradition der Wissenschaft in Frankfurt an. Aus der enzyklopädischen Fülle seines Wissens reorganisiert Horkheimer als deren Rektor die Goethe-Universität Frankfurt von 1951 bis 1953, indem er zum Beispiel im Code des Campus bisher ausgeschlossene Lehrstühle für katholische und evangelische Theologie einrichtet. Horkheimer wollte endlich demokratischen Denkstrukturen den Weg bahnen: „Es genügt eben nicht mehr, daß wenige kultiviert sind."

An seinem 65. Geburtstag, dem 14. Februar 1960, verlieh ihm Bürgermeister Walter Leiske das Ehrenbürgerrecht im Kaisersaal des Römer. In seiner Philosophie engagée ehrte die Stadt „einen Gelehrten von hohem internationalem Rang, der das von ihm 1931 gegründete Institut für Sozialforschung in die Emigration hinübergerettet und so vor dem Untergang bewahrt hat und durch seine tiefgründigen, bahnbrechenden Forschungen zu einem weltoffenen Zentrum für Sozialphilosophie erhoben hat." Die kritische Theorie als Analyse der westlichen Gesellschaft einschließlich der amerikanischen hat Horkheimer nach seinen Erfahrungen in den USA in Frankfurt weiterentwickelt.

Die Stadt dankte diesem wahrhaft großen Mann auch dafür, daß er als „einer der ersten aus der erzwungenen Emigration heimkehrte, um mit gütigem Herzen und wachem Verstand an dem Wiederaufbau deutscher Kultur teilzunehmen. Im Geiste der Versöhnung hat Max Horkheimer durch sein Handeln und Wirken dem Namen Frankfurts besondere Ehre erwiesen und zur Mehrung des Ansehens unserer Stadt in der freien Welt in hohem Maße beigetragen."

Max Horkheimer bedankte sich „in tiefer Verbundenheit" in einem Brief vom 16. Februar 1960: „Es ist mir ein Bedürfnis, der Stadt, mit der ich nun so lange verbunden bin, von ganzem Herzen für die große Ehrung zu danken, die sie mir durch die Verleihung des Ehrenbürgerrechts erwiesen hat. Ich werde mich bemühen, so, wie es in meinen Kräften steht, dem Sinn dieser Ehrung gerecht zu werden. Es ist mir, als ob auch den vielen anderen, die, wie ich selbst, unter der Schrekkensherrschaft aus Frankfurt fliehen mußten, durch diesen Akt ein Zeichen der Güte und der Versöhnung gegeben worden sei, und ich glaube, daß der schöne Entschluß von Magistrat und Stadtverordnetenversammlung sowohl hier, wie in der Welt, so verstanden wird."

Heute gilt es bei Horkheimers Werk zu unterscheiden zwischen dem, was nicht mehr einfach auf die Gegenwart angewendet werden kann, und den nachhaltigen Einsichten, die fortwährende Aktualität beanspruchen. Beerdigt wurde der Sozialphilosoph nicht auf dem Frankfurter Hauptfriedhof, sondern auf dem israelitischen Friedhof Bern-Wankdorf in der Schweiz. Heute gelten Jürgen Habermas und Axel Honneth als Alleinerben der Frankfurter Schule.

18. Friedrich Dessauer (1961)

Biophysiker, Strahlenforscher, Philosoph, Schriftsteller, Unternehmer, Politiker – alle diese Berufe und Professionen repräsentierte Friedrich Dessauer auf gleicher intellektueller Höhe. Das Revier seiner Neugier war in seinem fachübergreifenden enzyklopädischen Wissen fundiert, das er sokratisch klug zu vermitteln wußte.

1881 in Aschaffenburg geboren, übersiedelte Friedrich Dessauer 1907 nach Frankfurt. Als Ordinarius für Physik an der Goethe-Universität von 1921 bis 1923 und Direktor des Institutes für physikalische Grundlagen der Medizin, dem späteren Max-Planck-Institut, war er Mitarbeiter von Röntgen. In den Jahren von 1924 bis 1930 saß er für die katholische Zentrums-Partei im Deutschen Reichstag und war wirtschaftspolitischer Berater von Reichskanzler Heinrich Brüning.

Dessauer sah sich unter dem Druck der Nazis 1934 gezwungen zu emigrieren; er lehrte dann in Istanbul und Fribourg und kehrte erst 1952 nach Deutschland zurück. Dessauer gilt als einer der wichtigsten Pioniere der Röntgenmedizin und Strahlenbiophysik und schuf die Grundlagen für die heute noch praktizierte Tiefentherapie. Er förderte die Röntgenkinematographie, die es der Medizin erlaubt, Aufnahmen vom schlafenden Herzen zu machen. 1922 begründete er die Quantenbiologie und erfand die sogenannte Treffertheorie.

Als Philosoph widmete sich Dessauer der Frage, wie die naturwissenschaftlich-technische Erkenntnis in das philosophische Denkgebäude einziehen könne. Als Biograph von Galilei, Newton und Röntgen hat er sich auch als Schriftsteller einen Namen gemacht. Seine Bücher oszillieren zwischen Wissenschaft und Literatur, zwischen Prosa und Poesie.

Der Unternehmer Dessauer hat geholfen, die Carolus-Druckerei zu sanieren; er verfügte über eine Zweidrittelmehrheit bei der Rhein-Mainischen Volkszeitung, die eine vorwiegend linkskatholische Leserklientel mit relevantem Lesestoff versorgte. Mit Hilfe willfähriger Banken „arisierten“ die Nationalsozialisten 1934 Dessauers gesamtes Vermögen.

Obwohl Dankbarkeit keine politische Kategorie ist, ehrten die Politiker der Stadt Frankfurt in dem genialischen Individualisten Dessauer „den großen Forscher und Gelehrten von internationalem Ruf, einen der markantesten Vertreter der Pioniergeneration der deutschen medizinischen Röntgenologie und Radiologie, der – ausgestattet mit einer intuitiv schöpferischen Begabung, die ihn befähigte, bei der Erforschung neuer Gebiete, eigene Wege zu gehen – bahnbrechende Arbeiten vollbracht hat, deren Ergebnisse auch heute noch zu den Grundlagen dieser Wissenschaften gehören.“ Die Urkunde überreichten Bürgermeister Rudolf Menzer und Stadtverordnetenvorsteher Max Flesch-Thebesius dem schwerkranken 80jährigen Dessauer in dessen Wohnung in der Stresemann-Allee. Wohl auch seiner ethischen Erhabenheit wegen benannte sich ein Gymnasium in Höchst nach Friedrich Dessauer.

19. Georg August Zinn (1966)

Willi Brundert, der frühere Staatssekretär des Hessischen Ministerpräsidenten Georg August Zinn hat 1966 als Frankfurter Oberbürgermeister die Ehrenbürgerwürde für Zinn beantragt: „In Dankbarkeit und Verehrung verleiht die Stadt Frankfurt am Main dem hessischen Ministerpräsidenten Herrn Dr. h. c. Dr. e. h. Georg August Zinn aus Anlaß seines 65. Geburtstages das Ehrenbürgerrecht. Sie ehrt damit den zielbewußten Politiker und Staatsmann, dessen verantwortungsvolle Wirtschafts- und Sozialpolitik entschieden dazu beigetragen hat, dem Land Hessen seine heutige Gestalt zu geben. Sie dankt dem gebürtigen Frankfurter für die vielseitigen Förderungen, die Frankfurts Entwicklung aus dem Trümmerzustand nach den Jahren des Elends und der Not zu der heute so bedeutungsvollen Main-Metropole begünstigen. Die Verleihung der Ehrenbürgerrechte ist Ausdruck des Dankes für die erste Anteilnahme am Schicksal der Stadt und für die so oft gewährte persönliche Unterstützung bei der Lösung wesentlicher Kommunalprobleme."

In seiner Laudatio lobte Brundert Georg August Zinn außerdem dafür, daß der Wiederaufbau Frankfurts nach dem Zweiten Weltkrieg nur möglich gewesen sei auch dank des Ministerpräsidenten. Er habe geholfen, die Widerstände in Wiesbaden zu brechen, vor allem als die Stadt erkannte, „daß sie den Bau der U-Bahn und die Unterhaltung der Stiftungsuniversität nicht allein tragen konnte". Auch nach Meinung des späteren Oberbürgermeisters Rudi Arndt hat nur mit Zinns Unterstützung „der Weg aus den vom Krieg hinterlassenen Trümmern zur heutigen weltweit bedeutsamen Main-Metropole erfolgreich beschritten werden" können. Frankfurts kontinuierlicher Aufstieg zur Kernstadt des zweitgrößten deutschen Ballungsraums verdankt sich auch seiner Weitsicht, daß nicht die Landeshauptstadt die hessische Metropole sein würde, sondern mit ihrem kosmopolitischen Flair die Stadt Frankfurt.

Georg August Zinn wurde 1901 in Frankfurt geboren. Nach dem Jurastudium in Göttingen und Berlin wurde er Anwalt und geriet bald nach der Machtübernahme vorübergehend in Schutzhaft. Nach dem Krieg ging das SPD-Mitglied hauptberuflich in die Politik: von 1948 bis 1949 als Mitglied des Parlamentarischen Rates, 1946 bis 1949 und 1950 bis 1962 arbeitete er als Justizminister in Wiesbaden; 1950 wurde er zum Ministerpräsidenten gewählt und blieb bis 1969 im Amt.

In dieser Zeit war er zweimal je zwei Jahre routinemäßig Präsident des Bundesrates. In die Geschichte Hessens ist er vor allem durch die hessische Strukturreform und seinen „Hessenplan" eingegangen. Der charismatische, integre Politiker Georg August Zinn war ein populärer Landesvater, der sich einer Politik der sozialen Verantwortung verpflichtet fühlte. Ganz im Sinne Max Webers begriff Georg Zinn Politik als Profession und diese als Antrieb zum Handeln.

20. Hermann Josef Abs (1981)

Die vom Glanz der Banken überformte kleinste Metropole der Welt avancierte mit heute 330 Kreditinstituten, der Europäischen Zentralbank und der Bundesbank zur größten Geldmetropole des europäischen Kontinents. Der zu seiner Blütezeit mächtigste Repräsentant des Geldadels, Hermann Josef Abs (A wie Abs, b wie Abs, s wie Abs), wurde im Jahre 1981 mit dem Ehrenbürgerrecht der Stadt Frankfurt hoch dekoriert. Neben einer Fülle von Ehrungen und Prädikaten schätzte er diese Auszeichnung, auch neben einer Ehrenbürgerschaft seiner Vaterstadt Bonn, als die höchste Stufe aller offiziellen Würdigungen, die er je erhalten habe. 1980 hatte der Autor dieses Buches dem Oberbürgermeister Walter Wallmann Abs als Ehrenbürger vorgeschlagen.

Der 1901 in Bonn geborene Hermann Josef Abs durchlief Banklehren bei namhaften Kreditinstituten wie dem Bankhaus Louis David in Bonn und wurde 1935 Teilhaber des Bankhauses Delbrück, Schickler & Co. in Köln und Berlin. 1938 wurde er bei der Deutschen Bank als Verantwortlicher für das Auslandsgeschäft Mitglied des Vorstandes, und 1957 rückte er zum Sprecher der Bank auf, der er bis zur Übernahme des Aufsichtsratsvorsitzes im Jahre 1967 blieb. Bei Ablauf seiner Wahlperiode 1976 wurde Abs Ehrenvorsitzender. Nicht nur wegen seiner exzellenten Sprachkenntnisse war Abs Leiter vieler Delegationen der Geldwirtschaft im Ausland. Konrad Adenauer beauftragte Abs, die Regierung beim Londoner Schuldenabkommen als Verhandlungsführer zu vertreten (1954). 1948 gründete Abs die Kreditanstalt für Wiederaufbau in Frankfurt, deren Aufsichtsratsvorsitzender er später wurde. Als Mitglied oder Vorsitzender in etwa dreißig Aufsichtsräten verfügte er kraft dieses festvertäuten Netzwerks der Banken, der Wirtschaft und Politik über singulären Einfluß. Abs hat nach eigenen Worten immer versucht, drei typische Bankier-Eigenschaften anzustreben: „Erstens jene Fähigkeit, sich in den Interessenstandpunkt des Kunden zu versetzen; zweitens den Mut zum Engagement; und drittens das Maß des Risikos, nämlich die Fähigkeit, die Grenzen früh genug zu erkennen, die man nicht überschreiten darf."

Bei der Verleihung der Ehrenbürgerschaft widmete Oberbürgermeister Walter Wallmann der bankpolitischen Diplomatie von Abs besondere Aufmerksamkeit: „Es ist für eine jüngere Generation heute fast nicht mehr vorstellbar, welche wirtschaftliche und politische Bedeutung die Regelung der deutschen Auslandsschulden nach dem Zweiten Weltkrieg hatte. Sie war die Voraussetzung für die Wiederherstellung des deutschen Kredits im Ausland und damit auch der freien Konvertibilität der neuen Deutschen Mark. Ich glaube, ich sage nicht zuviel, wenn ich feststelle, daß ohne jenes berühmte Londoner Schuldenabkommen vom 27. Februar 1953 der wirtschaftliche und politische Wiederaufstieg Deutschlands nicht möglich gewesen wäre." Abs zeigte sich gerührt und aufs tiefste bewegt, „um nicht zu sagen beschämt". Er könne sich keine größere Ehrung denken als die einer Stadt mit dem hohen Rang Frankfurts. Abs bezeichnete es als Verpflichtung aller, die in der Öffentlichkeit wirkten, dazu beizutragen, daß es vielleicht doch wieder Ideal- und Idolfiguren für die Jugend geben werde.

Abs war belesen und allgemein gebildet. Mit seiner manchmal gezielt verletzenden Schärfe in den Formulierungen versuchte er seine Kontrahenten schachmatt zu setzen, und er schmeichelte damit auch noch seiner Eitelkeit. Er besaß eine auf viele Millionen veranschlagte private Kunstsammlung in seinem Palais in Kronberg. Er galt weithin als der Prototyp des Mäzens, obwohl er aus eigener Schatulle zu diesem Ehrentitel nicht allzuviel beigetragen hat. Er war aber ein Meister im Geldbeschaffen besonders für solche Institute, zu denen er eine ganz persönliche Affinität entwickelt hatte: zum Beethoven-Haus und Max Reger-Haus in Bonn und in Frankfurt zum Städel und dem Freien Deutschen Hochstift. Als geschliffener Citoyen wußte er in der Metropole des Wohlstands mit dem bübischen Charme eines Millionärs auch das kulturpolitische Besteck trefflich zu handhaben: „Gewinn ist so notwenig wie die Luft zum Atmen. Aber es wäre schlimm, wenn wir nur wirtschaften würden, um Gewinn zu machen, wie es schlimm wäre, wenn wir nur lebten, um zu atmen." Atmen war für Abs ein Synonym für die Kultur. Kultur begriff Abs weniger als Kostenfaktor, sondern als geldwerte langfristige Amortisation.

Mit Abs ist 1994 ein großer Baum gefallen. 93jährig endete das komplexe Leben eines komplizierten Charakters in seiner Heimatstadt. Seine lebenslange Fortüne verdankt sich seinem Ehrgeiz, seiner hellwachen Intelligenz und seiner umfassenden Bildung sowie der Gewißheit, daß er sich mittels dieser Tugenden anderen überlegen fühlen konnte. Wer eine eigene Meinung nicht präzise genug zu begründen wußte, sah sich Abs' selbstgenügsamem Sarkasmus und dem Wechselbad seiner Launen ausgeliefert. Abs' gebietende Erscheinung entspannte sich gern in der Lust an der scharfen Pointe. Hermann Josef Abs hat dank seiner Lebensklugheit mit seiner Biographie viel Glück gehabt: „A man for all seasons".

21. Oswald von Nell-Breuning (1983)

Jesuitenpater Oswald von Nell-Breuning war ein geistliches Leben lang Professor für christliche Gesellschaftslehre und Ethik an der theologischen Hochschule St. Georgen in Frankfurt-Oberrad bis zu seinem letzten Atemzug im Jahre 1991. Nach seiner Priesterweihe im Jahre 1921 und Kirchendiensten in verschiedenen Diözesen lehrte er seit 1928 in St. Georgen nahe dem Oberräder Scheerwald. Der in Trier geborene Oswald von Nell-Breuning hat hier in St. Georgen im biblischen Alter von 101 Jahren das Zeitliche gesegnet.

Als Berater von Papst Pius XI. war er maßgeblich an der Formulierung der Sozial-Enzyklika *Quadragesimo anno* (1931) beteiligt, womit die wesentliche Grundlage der katholischen Soziallehre gelegt wurde. Er wollte wohl verhindern, daß in gottloser Zeit von Gott nichts übrigbleibt als die Nacht von Golgatha. In der Hitlerdiktatur erhielt er zwischen 1936 und 1945 Publikationsverbot und wurde 1944 zu drei Jahren Haft verurteilt, die der Pater aber nicht antreten mußte.

Dafür, daß Oswald von Nell-Breuning „zum Ruhm unserer Stadt als eines geistigen Zentrums" beigetragen hat, erhielt er aus der Hand von Oberbürgermeister Walter Wallmann 1983 die Ehrenbürgerrechte: „Mit Herrn Prof. Dr. Oswald von Nell-Breuning wird eine Persönlichkeit geehrt, die durch ihr Wirken als hervorragender Gesellschafts- und Sozialwissenschaftler des deutschen Katholizismus das sozialpolitische Denken vor allem der Nachkriegszeit entscheidend beeinflußt hat." Mit seinem klugen Elogium gab Walter Wallmann dem Auditorium Gelegenheit, den Oberbürgermeister als einen für die obere Kategorie seiner Zunft maßstabsetzenden Rhetor zu bewundern, als einen aus politischer Kultur herausragenden souveränen Geist. Aus gefestigtem religiösen Weltbild und einem die Tradition bewahrenden kulturellen Bewußtsein wußte er den querdenkenden Moralphilosophen treffend zu charakterisieren, indem er ihm für dessen Entwurf einer „klassenfreien Gesellschaft" dankte, „in der der Mensch seinen Wert nicht durch die Arbeit erhält, sondern die Arbeit ihre Würde durch den von Gott geschaffenen Menschen".

Nell-Breunings 1700 Veröffentlichungen verweisen auf einen Autor von kontinuierlicher Produktion. Sie haben sich zum lebendigen Vermächtnis addiert. Die bekanntesten sind *Wirtschaft und Gesellschaft* (vier Bände), *Wörterbuch der Politik*, *Auseinandersetzung mit Karl Marx* und *Arbeit vor Kapital*. Mit seinen Schriften über Mitbestimmung oder über die Bedeutung der Gewerkschaften intensivierte er seine Zusammenarbeit mit eben diesen organisierten Vertretern der Nichtprivilegierten, in der frommen Hoffnung, die gefährdete soziale Symmetrie zu retten. Der leutselige Pater machte es sich selber oft schwer, um es anderen leichtzumachen, den weniger bevorrechtigten Vielen. Die soziale Ungerechtigkeit der Republik und die metaphysische Obdachlosigkeit der Menschen wurden zum Agens der Moralphilosophie von Gottes Statthalter hier auf Erden.

Seine staatsskeptischen Veröffentlichungen über Währungsfragen, über den Begriff des Eigentums, über Vermögensbildung, Bodenrecht und Wohnungsbau, über Steuerrecht und Familienprobleme oder über die kritische Frage, welches Menschenbild hinter den neuen Sozialstaatsmodellen steht, offenbaren einen pragmatischen Denker, dessen Wirken der sozialen Gerechtigkeit geschuldet war. Seine Schriften sind aber auch als Klagen über die mangelhafte moralische Einrichtung der realen Welt zu lesen; so haben ihn besonders die wirtschaftlichen Nöte der Menschen in der Zeit zwischen den Weltkriegen wie in den ersten Nachkriegsjahren bewegt. Demut war eines von

Nell-Breunings wichtigen Hauptwörtern – als Grundmotiv seines langen, wahrhaft altruistischen Lebens.

Der Begleiter eines ganzen Jahrhunderts, der seine vielen Werke in einer asketisch möblierten Mönchsklause niedergeschrieben hat, blieb in den Strömen der Zeit einer der bescheidensten Gelehrten mit gleichwohl großer öffentlicher Wirkung: Nach eigenen Worten interessierten ihn Probleme immer nur, sofern sich aus ihnen eine praktische Konsequenz ergibt: „Ob ich über tiefste wissenschaftliche Fragen forsche oder ob ich in der Müllabfuhr tätig bin, das ist beinahe irrelevant im Vergleich dazu, daß es in beiden Fällen der Mensch ist, der mit seiner persönlichen Verantwortung tätig wird." Nell-Breunings Skepsis gegenüber seinem Faktenwissen weist ihn als einen Erben der Dialektik der Aufklärung aus. Aber wer sich für einen Skeptiker hält, der wäre gut beraten, sagte Sigmund Freud einmal, „gelegentlich auch an seiner Skepsis zu zweifeln": Die Tugend des Zweifelns und das Postulat einer real erlebbaren Humanität gehörten zu des Jesuitenpaters intellektuellem Repertoire, das er ganz ohne zeremonielle Sprache zu vermitteln wußte. Der Liebhaber barocker Musik liebte nicht nur Bach und Händel; mit fortgeschrittenem Alter versank er gern auch in jene Mozartsche Heiterkeit, in der die Klänge des Todes hörbar sind. Oswald von Nell-Breuning starb im biblischen Alter von 101 Jahren im Kloster St. Georgen im Jahre 1991.

22. François Mitterrand (1986)

Bei noch so hoher Wertschätzung des *haute vie intellectuelle* des französischen Staatspräsidenten François Mitterrand sind aus der Begründung für die Ernennung zum Ehrenbürger seine persönlichen Verdienste um Frankfurt ebensowenig zu erkennen wie aus der Laudatio von Oberbürgermeister Wolfram Brück. Das legt den Verdacht nahe, daß es weniger darum ging, Mitterrand zu ehren, als darum, Mythos und Glanz des Ausgezeichneten auf die Stadt und den Magistrat abstrahlen zu lassen. Diese Vermutung beglaubigt der imposante Aufmarsch der Funktionäre und vieler Würdenträger am 27. Oktober 1986 in den ersten Reihen der Paulskirche: Richard von Weizsäcker, Helmut Kohl, Hans-Dietrich Genscher, Jacques Chirac, viele Botschafter und fast das gesamte Personal des Bonner Kabinetts samt Opposition.

1916 geboren in Jarnac (Département Charrante), floh Mitterrand 1940 aus deutscher Kriegsgefangenschaft erst nach Algier, dann nach London. Mitterrand diente als Minister unter vielen Regierungen. Entschiedener Gegner de Gaulles, unterstützte er gleichwohl dessen Algerienpolitik. Mitterrand wurde nach mehreren Anläufen 1981 Staatspräsident und regierte nach seiner Wiederwahl 1988 mit wechselnden Koalitionen, zuletzt mit abflauendem Prestige.

Brücks sehr vage, sehr allgemeine Begründung lautete: „Ihr politisches Leben ist begleitet von Ihrem literarischen Schaffen. Bereits lange vor Ihrer Wahl zum Präsidenten hatten Sie sich einen Namen als bedeutender Schriftsteller gemacht. Schon 1938 veröffentlichten Sie als 22jähriger Ihren ersten Artikel, in dem Sie zum Anschluß Österreichs an das Deutsche Reich Stellung bezogen. Seitdem haben Sie ein umfangreiches, fast ein halbes Jahrhundert umspannendes literarisches Werk geschaffen. Die Sammlung ihrer Reden, Beobachtungen, Kommentare, Essays, Ihrer Reiseeindrücke und programmatischen Überlegungen gibt uns ein beeindruckendes Zeugnis Ihrer geistigen Durchdringung dieser Zeit." Die kulturelle Dimension der Gesellschaft hat Mitterrand bei allem Pragmatismus seiner Realpolitik nie aus dem Auge verloren. Mitterrand, dessen Vita sich zu einer Allegorie der französischen Kulturgeschichte verklärt, ist mit seinen diversen *grands projets culturelles* wie zuletzt der Erweiterung des Louvre die kulturelle Apotheose seiner eigenen Ära gelungen.

Der noch vor nicht allzu langer Zeit Deutschland als „uneingestandene Erbin imperialer Ambitionen" bezeichnet hatte, Mitterrand, dankte mit eingeborener Courtoisie für die hohe Ehre, indem er Frankfurt zum „Symbol der Einheit" stilisierte. Die der Paulskirche eigene Magie duplizierte sich durch Mitterrands emphatische Rede.

Der Ernst Jünger verehrende *homme des lettres* hat eine bemerkenswert anspruchsvolle Dank-Adresse dargeboten, die ihn als legitimen Erben der Aufklärung ausweist. Um so mehr verdient Mitterrand hier in ausführlicheren Auszügen zitiert zu werden als ein Beispiel für wenige seinesgleichen, die sich in keiner Feder eines Ghostwriters wiedererkennen würden:

„Frankfurt ist in Deutschland ein Symbol für Einheit. Hier wurden die Kaiser und Könige gewählt. Hier wurden zahlreiche Reichstage des Heiligen Römischen Reiches abgehalten. Auch hat sich Frankfurt als freie Stadt oftmals als Zufluchtstätte der Toleranz gezeigt, wo sogar in ärgsten Augenblicken, in denen es einzig von Ihren Bürgern abhing, die verschiedensten Lebensauffassungen miteinander leben konnten …

Frankfurt ist ein Knotenpunkt, Symbol für Dynamik und Offenheit, schon von alters her und auch heute noch. Ihre Messen sind seit fast 750 Jahren bekannt. Franz I., König von Frankreich, bezeichnete sie 1519 als ‚die berühmteste Handelsstadt, nicht nur Deutschlands, sondern fast der ganzen Welt'. Es ist bekannt, daß sie diesen Schwung nicht verloren hat. Heute bezeugen der internationale Flughafen, Frankfurt als Finanzzentrum und manches mehr, daß sich Ihre Stadt in diesem Bereich der Tradition würdig erweist. Ich möchte hervorheben, daß Frankfurt heute – und man wird verstehen warum – auch eine Stadt der Kultur ist. Ist es notwendig, daran zu erinnern, daß Goethe, einer derer, die der deutschen Literatur ihre Bedeutung in der Welt gaben, hier das Licht der Welt erblickte. Ihre berühmteste Messe, die Buchmesse, ist eine Gelegenheit für intellektuelle Begegnungen und auch für wirtschaftliche Kontakte ...

Nachdem wir dazu beigetragen haben, ein wirtschaftlich mächtiges Europa aufzubauen, müssen wir die Bedeutung des gemeinsamen Nenners steigern, der eine offene, lebendige und lebhafte Kultur bildet und bilden muß.

Hierfür bieten sich uns vorrangig zwei Wege an. Der erste ist das Erlernen der Sprachen. Es ist notwendig, daß jeder unserer Völker Zugang zu der Kultur des anderen Volkes erhält. Goethe hat gesagt: ‚Jeder hört nur das, was er versteht.' Die Gefahr ist jedoch groß, daß unsere Nachkommen nicht die Fähigkeit haben werden, miteinander zu reden, ohne dabei von einer dritten Sprache abhängig zu sein.

Der andere Weg ist der sachkundigen Unterstützung der zeitgenössischen Kultur. Wir haben von der raschen Veränderung der gedanklichen, der informativen und der kulturellen Verbreitungsmöglichkeiten gesprochen. Wollen wir Werke schaffen und weitergeben, die für jeden bestimmt sein sollen, so setzt dies besondere Anstrengungen voraus. Europa erhält schon jetzt und wird bald einen noch unaufhaltsameren Strom von Anschauungen erhalten, die nicht von europäischer Tradition und Kultur geprägt sind. Das ist an sich nichts Nachteiliges. Im Gegenteil. Es könnte jedoch nachhaltig werden, wenn die Europäer nicht in der Lage wären, sich selbst Anschauungen zu schaffen und diese innerhalb und außerhalb ihres Kontinents zu verbreiten. Die Kultur der Europäer wird weitgehend durch ihre Anschauungen übertragen werden. Ich muß es wiederholen: Die Kultur wird nur aus unseren eigenen Wurzeln heraus gefestigt werden ...

Zu Recht stolz auf ein Erbe, welches ich als unvergleichlich bezeichnen möchte, darf Europa sich nicht mit der Betrachtung seiner ruhmreichen Vergangenheit und der Erhaltung seiner historischen Spuren zufriedengeben. Lassen Sie uns daran arbeiten, meine Damen und Herren, auf daß die Regierungen zusammenwirken, damit ihre Länder bei den Denkanstößen und bei der Schöpfung der Kunst gegenwärtig bleiben ...

Dann können wir das Gefühl haben, wir alle und ohne Unterschied, dazu beigetragen zu haben, das Weltbild zu prägen, bevor andere, die uns nachfolgen, für uns entscheiden.“

23. Helmut Kohl (1989)

Wie bei François Mitterrand stellt sich auch bei der Wahl von Bundeskanzler Helmut Kohl zum Frankfurter Ehrenbürger die höfliche Frage nach dessen unmittelbaren Verdiensten um das konkrete Wohl und Wehe der Stadt Frankfurt und um die Mehrung ihres Ansehens. Auch für Helmut Kohl gilt die grundsätzliche Anerkennung seiner politischen Lebensleistung und als „Kanzler der Einheit". Nach dieser Logik hätte Kohl aber wohl Ehrenbürger aller deutschen Gemeinden werden müssen.

Außer über Kohls Verdienste bei der Ansiedlung der Europäischen Zentralbank in Frankfurt am Main wußte Oberbürgermeisterin Petra Roth in ihrer in erhabene Allgemeinheit abschweifenden Laudatio denn auch nicht viel über konkrete Verdienste des dreißigfachen Ehrendoktors Kohl speziell zum Segen der Stadt Frankfurt zu berichten. In der Paulskirche beeindruckte Petra Roth am 15. September 1999 mit einer überschwenglich formulierten Rede, die diesen Eindruck in Auszügen belegt:

„Die Städtischen Körperschaften zeichnen Helmut Kohl mit den Ehrenbürgerrechten aus, weil er sich wie nur wenige andere Staatsmänner für unsere Stadt, für ihre Zukunftsfähigkeit eingesetzt hat. Wir sprechen mit guten Gründen von Frankfurt als Europastadt, und das verdanken wir in hohem Maße auch Helmut Kohl. Wir alle wissen, daß mit der Europäischen Zentralbank in Frankfurt nicht nur ein bedeutender Finanzplatz gestärkt bzw. gesichert wurde.

Sie kennen unsere Stadt, oft waren Sie hier zu Gast, nicht nur wegen Ihrer politischen Ämter und Funktionen. 1950/51 haben Sie hier einmal studiert, keine Buchmesse lassen Sie sich entgehen. Wir danken vor allem aber dem Europäer Helmut Kohl: ... Immer verstanden Sie sich als deutscher und europäischer Politiker. Und das in vielen Funktionen: als Kommunalpolitiker in Ludwigshafen, als Landtagsabgeordneter, als Ministerpräsident und schließlich als Bundeskanzler, der dieses Land 16 Jahre lang regiert hat."

Kohls Biograph Jürgen Busche schreibt, die europäische Vereinigung sei seit je des Kanzlers innigster Wunsch gewesen. Ja, die Einigung Europas sei für Helmut Kohl „das wichtigste und am längsten verfolgte Ziel seines politischen Lebens überhaupt gewesen".

Mit dem Lob: „an dieser Entwicklung haben Sie, lieber Helmut Kohl, maßgeblichen Anteil", beschloß Petra Roth ihre Rede. Standing ovations.

24. Bruno H. Schubert (2002)

Die Verleihung der Ehrenbürgerwürde an Generalkonsul Bruno H. Schubert am 27. Juni 2002 wurde in der überfüllten Paulskirche zum Ereignis. An diesem symbolträchtigen Ort deutscher Geschichte wurde er 14jährig auch konfirmiert. Der Festakt geriet zur imponierenden Demonstration der Zustimmung und Sympathie.

Bruno H. Schubert kam am 25. Oktober 1919 als der älteste von acht Söhnen in Frankfurt am Main auf die Welt. Er entstammt einem über vier Generationen in der Braukunst beheimateten Kaufmannsgeschlecht. Sein Urgroßvater mütterlicherseits, Karl Friedrich Henrich, war 1875 zum ersten Präsidenten des Deutschen Brauerbundes aufgestiegen und wirkte ein Vierteljahrhundert lang in dieser Verantwortung. Geschmückt mit dem Bürgertitel „Geheimer Kommerzienrat“ hatte der Brauer und Mälzer auch die erste deutsche Berufsgenossenschaft gegründet. Die Tochter von Karl Friedrich Henrich erbte dessen Brauerei und ehelichte den Braumeister und Inhaber einer Mälzerei in Schweinfurt, den ehrgeizigen Bruno Schubert sen. Dieser wurde 1912 Direktor der schon damals an den Theken gern gezapften populären Pilssorten der Frankfurter Henninger-Brauerei.

So nahm es kaum wunder, daß auch Bruno Schubert jun., der zur Unterscheidung vom Vater ein H. (Abkürzung von Heinrich) zwischen Vor- und Nachname fügte, ab 1936 bis zum Kriegsbeginn von der Pike auf den Beruf des Brauereikaufmanns erlernte. Nach Rückkehr aus der Gefangenschaft 1945 wurde er zunächst engster Mitarbeiter des Geschäftsführers der Industrie- und Handelskammer Werner Hilpert; in dieser herausgehobenen Funktion war er 1945 im zarten Alter von 26 Jahren schon an deren Wiedergründung und an der Organisation der Henninger-Bräu beteiligt und wurde in deren Vorstand berufen. Mit explodierendem Optimismus trat er ohne langes Federlesen in die Fußstapfen des Vaters und begann mit dem Aufbau und wenig später mit der Rationalisierung des Großbetriebes am Sachsenhäuser Berg.

In weiser Voraussicht auf eine beschleunigte ökonomische Dynamik sollte es ihm schon bald gelingen, den Konzern zu einer der größten Braustätten der Bundesrepublik mit 3 Mio. Hektoliter Bierausstoß auszubauen. Bruno H. Schubert wußte intelligent in den Goldadern des Erbes zu schürfen, das er fortschrittsgewiß mit den neuesten Entwicklungen kreuzte und zu einer Weltmarke optimierte, die den Namen Frankfurts über den Globus verbreitete. Wie auch den zum Begriff gewordenen Namen des übers Fernsehen weltweit ausgestrahlten Radrennens „Rund um den Frankfurter Henninger-Turm", ein Welt-Cup-Rennen, das als Synonym der Stadt um die Welt tourte.

Von den Imperativen des neuen Weltmarktes gefordert, war Bruno Schubert einer der ersten Industriellen nach dem Krieg, der den Sprung über Grenzen hinweg schon zu einer Zeit gewagt hat, als der Begriff „Globalisierung" noch ein Fremdwort war, und der es über den großen Teich zu neuen Ufern sogar bis nach Südamerika geschafft hatte. Er erwarb 1960 die Aktienmehrheit der zweitgrößten Brauerei Argentiniens, der Cerveceria Bickert in Buenos Aires. Das nächste Wagnis gelang ihm in der Schweiz mit der Gründung der Henninger International in Zürich. Mit dieser Gesellschaft sicherte er sich das Management von einigen Brauereien in Chile und von zwei Betrieben in Argentinien sowie in Nahost (Libanon). Als Emissär einer Bonner Regierungsdelegation half er, Handelsbeziehungen in Kuba und Venezuela zu knüpfen. Nicht zuletzt wegen seiner Beziehungen zu Lateinamerika und seiner Affinität zu Chile wurde er 1952 Generalkonsul des Andenstaates.

Seiner bodenständigen Weisheit wegen „kein ausgeklügelt Buch", wurde Bruno H. Schubert aber als persönlich haftendem Gesellschafter 1956 die Verantwortung für die Henninger Bräu KGaA übertragen, die durch seine Tatkraft zu einem international operierenden Konzern ausgebaut wurde. Wachstum und Gewinn gehörten zwar auch zur Philosophie des Konzerns, waren aber kein Ziel um jeden Preis. Der Chef einer der größten Brauereien handelte aus Überzeugung sozial verpflichtet, getreu jenem schönen Diktum von Saint-Exupéry: „Wer nur um Gewinn kämpft, erntet nichts, wofür es sich zu leben lohnte." Nachdem er für das Unternehmen kontinuierlich satte Renditen in die Scheuer gefahren hatte, überantwortete Bruno H. Schubert 1979 im Alter von 60 Jahren sein Lebenswerk den klugen Köpfen der Firma Reemstma.

Von der professionellen Verantwortung für den Großbetrieb befreit, fehlte ihm die gewohnte Gestaltungsmasse, weshalb das Organisationstalent Bruno H. Schubert seine überschüssigen Energien fortan ganz dem bürgerschaftlichen Mäzenatentum widmete – als Selbstverpflichtung, und dies besonders für den Schutz der Umwelt. Er ist Mitbegründer des WWF Deutschland und krönte sein „grünes" Engagement 1983 mit der Gründung der „Bruno und Inge Schubert Stiftung für Umweltschutz", die mit einer jährlichen Ausschüttung von € 100 000 an internationale Preisträger die höchstdotierte Stiftung ist. Außerdem verdankt ihm die Goethe-Universität Frankfurt, deren Ehrensenator er wurde, eine Stiftungsprofessur für Umweltforschung.

In der überfüllten Paulskirche ehrten mit ihren Reden den neuen Ehrenbürger der Stadt Frankfurt eindrucksvoll: Oberbürgermeisterin Petra Roth, Ministerpräsident Roland Koch, Außenminister a. D. Hans-Dietrich Genscher und der ehemalige Bundesminister Klaus Töpfer in seiner neuen Eigenschaft als Exekutiv-Direktor des UN-Umweltprogramms in Nairobi/Kenia. Wer ihre Laudationes aufmerksam verfolgte, dem wurde bewußt, was er instinktiv schon immer wußte: Mit dem Namen Henninger hat sich auch Bruno H. Schubert in die Stadtgeschichte des 20. Jahrhunderts fest eingeschrieben.

In ihrer Begründungsrede nannte Petra Roth den neuen Ehrenbürger eine außergewöhnliche Persönlichkeit, die „wie kein zweiter das Idealbild eines sozial aufgeschlossenen, engagierten Bürgers verkörpert“:

„Viele Ideen, Gedanken und Projekte sind in seinem stets gastlichen Hause erdacht, diskutiert und an diesem Knotenpunkt des gesellschaftlichen Lebens unserer Stadt auf den Weg gebracht worden. Sie haben eine sehr seltene und in unserer Gesellschaft immer weniger gewordene Eigenschaft: Sie stellen sich in den Dienst einer Sache, und dies in einer Form, als sei es das Selbstverständlichste überhaupt. Sie tun es mit einer Haltung, in der sich auch das Selbstbewußtsein eines Frankfurter Bürgers widerspiegelt. Sie sind kein Freund vieler Worte. Aber ein Mann beherzter Taten.

In Ihnen ist das Selbstverständnis eines Bürgers verkörpert, dem das Engagement für das Gemeinwesen Verpflichtung ist. Ihr lebenslanges Anliegen ist heute mit den Preisverleihungen unterstrichen worden. Und ich empfinde es geradezu als richtig, Sie auch in Ihrem Umfeld zu ehren. Denn die Förderung der Wissenschaften und deren praktische Umsetzung in Erkenntnis und Abwehr von Bedrohungen für Natur, Tier und Umwelt ist Ihr Anliegen und das Ziel ihrer Stiftung. Mit der Gründung ist ein langes Engagement für die Belange der Umwelt konsequent fortgesetzt worden.“

Bruno H. Schubert war nicht nur Nachkriegsgründungsmitglied der Zoologischen Gesellschaft von 1858, sondern auch deren Vorstandsmitglied und Vizepräsident. Dieser Verein hat seit 1973 den deutschen Zweig von „World Wild Life Fund For Nature“ (WWF) mit vielen Tierschutzprojekten hilfreich unterstützt.

In Petra Roths Text heißt es weiter: „Die große Anerkennung, die der WWF genießt, ist auch wesentlich auf Ihr Engagement zurückzuführen. Sie haben … das Anliegen Umwelt ernstgenommen und in die Öffentlichkeit transportiert, als es noch nicht populär war. Ich nenne das Pionierarbeit.

Bruno H. Schubert ist ein bekannter und engagierter Verfechter seiner Vorhaben! So kommt er auch, wie er selbst einmal augenzwinkernd gesagt hat, zu dem Attribut ‚dienstältester Konsul der Welt‘.

Sie sind, lieber Herr Schubert, eine ausdrucksvolle Persönlichkeit!

Ich kenne Sie seit gut zwanzig Jahren! Und jeder, der sich einmal zu Schuberts Gästen zählen durfte, kann es bestätigen: Er ist ein stiller, aber präsenter, charismatischer Mensch, der die Anliegen, die er im Auge hat, auch erfolgreich durch seine besondere, einnehmende Art umsetzt."

In seiner vielgerühmten Fähigkeit zur Freundschaft weiß Bruno Schubert gleichwohl zu unterscheiden zwischen Spreu und Weizen. Bei den jährlich tausend Einladungen des großen Kommunikators zum Dinner wird sorgfältig differenziert; nicht nur Renommee und öffentliche Bedeutung, sondern auch charakterliche Integrität sind wichtige Kriterien wie die Hinwendung zu Menschen aller Altersschichten. Bruno Schuberts Genie der Kommunikation und Freundschaft blieb bis ins hohe Alter ungebrochen. Er hat dem Prestige allzu großer Proportionen immer widerstanden. Mit seinen fast täglichen Tafelrunden hat er eine Milieugeschichte der deutschen Eliten geschrieben. Als Vizedoyen des Konsularischen Korps hat er an seiner Tafel immer wieder viele ausländische Gäste unter die deutschen gemischt. In der Stadt mit dreißig Prozent Ausländern sollten sie begreifen lernen, wie sehr das Fremde ein essentieller Bestandteil des Eigenen ist. Ohne Immigranten wäre Amsterdam nicht Amsterdam, Montreal nicht Montreal und Frankfurt nicht Frankfurt.

In diese Stadt sind Menschen aus 180 Nationen legal zugewandert, aber sie wissen zuwenig über das Gemeinsame in ihren ethischen Traditionen und religiösen Wurzeln: über die Tora der Juden, die Bergpredigt der Christen, den Koran der Muslime, die Lehren des Buddha und des Konfuzius. Nach Hans Küng bilden sie alle gemeinsam die Grundlagen für Glauben und Leben, Denken und Handeln, auf denen sich fürwahr ein Weltethos errichten ließe.

Wäre der Begriff nicht aus der Mode, dann übertriebe man wahrlich nicht sehr, Bruno Schubert einen Patrizier zu nennen.

Weil Bescheidenheit seine vornehmste Tugend war und ist und sein hohes auch moralisches Format kennzeichnet, hat Bruno Schubert nach so vielen lobpreisenden Reden in der Paulskirche am 27. Juni 2002 von der Kunst des Reduzierens seiner Reden Gebrauch gemacht und darauf verzichtet, den zahlreichen Gästen (zum Teil von weit her) noch eine längere Dankesrede zuzumuten: Mit nobel erregter Stimme lud er kurz und bündig die 800 Gäste zur lukullischen Römerpartie ein: „Da Sie nach den vielen Reden jetzt alle hungrig sind, verzichte ich auf eine längere Dankesrede." Da sein Redetext aber existiert, sollte er an dieser Stelle von jenen nachgelesen werden können, die seine Dankadresse in der Paulskirche gern gehört hätten: Darin wird deutlich, daß er sich immer treu geblieben ist, er mußte sich nie neu erfinden. Gleichwohl gibt er außenstehenden Bewunderern vielleicht das Gefühl, daß große Persönlichkeiten auf eine gewisse Art immer auch eine Fiktion sind. Bruno Schuberts Text lautet:

„Leider kann ich meine langjährigen guten Freunde, die beiden Ehrenbürger Hermann Josef Abs und Oswald von Nell-Breuning, hier in der Paulskirche nicht mehr begrüßen. Sie hätten sich sicher gefreut, mich in ihrer Mitte zu wissen. Als gebürtiger Frankfurter bin ich sehr stolz, heute als Ehrenbürger meiner geliebten Vaterstadt so herausgehoben geehrt zu werden. Daß ich als Sohn dieser Stadt mit der Ehrenbürgerschaft gewürdigt werde, hat mich sehr berührt. Denn schon meine Vorfahren hatten ihre Wurzeln in Frankfurt am Main und wären mit mir sicher stolz auf diese Ehrung gewesen. Für jemanden, der in Frankfurt sein Glück gemacht hat, bedeutet es eine selbstverständliche Bürgerpflicht, seiner Heimatstadt etwas davon zurückzugeben. So verstehe ich all die von Ihnen, liebe Frau Roth, so liebenswürdig hervorgehobenen Verdienste eher als eine selbstverständliche Bringschuld.

Deshalb habe ich vorgesorgt, daß auch über meine Zeit hinaus dieses Engagement in Form der Bruno H. Schubert-Stiftung und der Stiftungsprofessur für Umweltfragen an der Johann Wolfgang Goethe-Universität weiterwirkt. Unsere Umwelt, die Tiere und die Pflanzen, die unserem Leben soviel Freude schenken, waren mein Leben lang jenes natürliche Element, das mir wirklich am Herzen liegt. Um so mehr bin ich dankbar dafür, daß so viele Menschen bereit waren, mir in diesem Engagement zu folgen und so meine Ideen zu begleiten. Es freut mich besonders, daß vor allem immer mehr junge Menschen Freude daran finden, sich Umweltfragen engagiert zu widmen. Jeden

Tag empfinde ich es aufs neue als besonderes Glück, daß mir ein freundliches Schicksal die Möglichkeiten gab, diese Ideen und Träume auch zu verwirklichen.

Doppelt geehrt fühle ich mich einmal durch die hohe Auszeichnung durch Sie, liebe Frau Petra Roth, wie auch durch die Anwesenheit so vieler Freunde und Weggefährten, die mir damit ihre Sympathie erweisen. Besonders möchte ich an diesem historischen Ort Hans-Dietrich Genscher willkommen heißen, mit dem ich als langjähriger Vize-Doyen des Consular Corps viele gute internationale Kontakte auch für meine Vaterstadt knüpfen durfte.

Liebe Freunde! Dies ist der glücklichste Tag in meinem Leben!"

25. Siegfried Unseld (2002)

Die längst überfällige Ehrung erhielt Siegfried Unseld erst einen Monat vor seinem Abschied von dieser Welt. Weil er schon sehr krank war, konnte Petra Roth für den großen Verleger keine angemessene Feier in der Paulskirche mehr ausrichten lassen. So überreichte sie ihm die Urkunde im ersten Stock seiner Wohnung in der Klettenbergstraße 35 im handverlesenen kleinsten Kreis, den Siegfrieds Frau Ulla Berkéwicz komponiert hatte. Es war schon ein ergreifender Augenblick, als die Oberbürgermeisterin mit ihrem Manuskript die Konvention der Festrede beiseite schob und eine feinsinnige Laudatio improvisierte, ohne peinlichen lyrischen Herzton. Für diese schöne Geste bedankte sich der Geehrte mit feiner schmerzhaft-heiterer Melancholie. Intellektuelle Heiterkeit war ihm zeitlebens Elixier.

Der spätere Verleger von Suhrkamp und Insel Verlag war durch sein Studium der Germanistik, Philosophie und Bibliothekswissenschaft für seinen Beruf im Sinne auch von Berufung prädestiniert. Lebensmächtig, wurde er zum Prototyp des Verlegers mit Leib und Seele, dem nichts wichtiger war als seine Autoren. Unselds Erfolg als Verleger ist auch das Produkt seiner Witterung. Welcher Verleger setzt sich im umfangreichen Briefwechsel von über tausend Buchseiten mit einem Schriftsteller wie Uwe Johnson auseinander, und das auf gleichem Niveau: Das Buch unter dem schlichten Titel *Der Briefwechsel* (1999) gehörte jedem Verlagsleiter aufs Nachtkastel gelegt. Der große, charismatische Verleger kannte die Gedichte seiner wichtigsten Autoren auswendig.

Unselds im Wissen fundierte Schriften und schnörkellose Reden waren den großen Fragen des 20. Jahrhunderts verpflichtet, dem Jahrhundert der Extreme: der Semantik von Ethik und Ästhetik. Es war auch die unstillbare Neugier, die Unseld zu einem großen Verleger werden ließ, dessen ethisches Laboratorium er mit einem gehörigen Quantum Charisma durchpulste. Dem Beispiel geistiger Universalität, blieb ihm gar nichts anderes übrig, als groß zu denken.

Unselds Bücher stehen in fast allen öffentlichen Bibliotheken griffbereit: *Für wenn ich tot bin*, *Das Werk von Hermann Hesse*, *Das Tagebuch Goethes*, *Goethe und der Ginkgo*, *Bertolt Brechts Dreigroschenoper*, *Walter Benjamin*, *Günter Eich zum Gedächtnis*, *Goethe und seine Verleger* und so weiter. Die als „Suhrkamp-Kultur" weltweit als Wissensbibliothek gut beleumundete Reihe edition suhrkamp (es) in den achtundvierzig Farben des Sonnenspektrums wurde beim Aufbruch aus der verknöcherten Adenauer-Republik einer ganzen Studentengeneration zur Pflichtlektüre, wie später auch der von Unseld gegründete Deutsche Klassiker Verlag den Lese-Kanon der gebildeteren Klasse bestimmte. Den Philosophen und Soziologen hat Unseld die wichtigsten und anspruchvollsten Stimmen der Literatur, der Essayistik und der Lyrik als unser Dasein bereichernde Lektüre hinzugesellt, Lektüre im Sinne von Sprachkultur und Sprache und im Sinne von Karl Kraus als Medium der Moral. Ohne Unselds edition suhrkamp wäre die Republik wahrscheinlich eine andere geworden. Wer Adorno gelesen hatte, lernte damit anders zu denken. Die Edition hat Intellektuellen wie Cohn-Bendit oder Joschka Fischer den geistigen Proviant für ihren langen Marsch durch die Institutionen bis ganz nach oben geliefert. Die edition suhrkamp hat „die Strahlen des Zeitgeistes nicht wie ein Spiegel zurückgeworfen", findet Habermas, „sie hat diese in einem Brennglas fokussiert und entzündet".

Die Universitäten Washington, Frankfurt, Heidelberg, Hyderabad verliehen Unseld Ehrendoktorwürden, der Bundespräsident das große Verdienstkreuz mit Stern und das Land Hessen den Kulturpreis 2000. Unseld lebte nach der Devise seines Lieblingsschriftstellers Hermann Hesse: „Sei Du selbst. Werde, der Du bist."

Die häusliche kleine Ehrenbürgerfeier war auf Rat der Ärzte auf maximal eine halbe Stunde begrenzt; da dieser finale offizielle Akt aber offensichtlich die Lebensgeister des also Geehrten reaktiviert hatte, wurde nach den Laudationes von Roth und Suhrkamp-Lektor Raimund Fellinger der Zeitrahmen noch um eine weitere halbe Stunde für einen Erinnerungsplausch verlängert.

Es folgt hier der für die Ehrung vorbereitete Text der Laudatio, aus dem Petra Roth gefühlvoll die Essenz improvisiert hatte – ohne festrednerische Worthülserei, die man sonst bei jedem beliebigen Anlaß von der politischen Klasse über sich ergehen lassen muß:

„Mit der Überreichung der Ehrenbürgerurkunde vollzieht die Stadt Frankfurt am Main die Auszeichnung mit der höchsten Würde, die sie verleihen kann. Diese Ehre wird nur sehr selten vergeben. Sie ist so bedeutsam und außergewöhnlich, daß sie als Symbol in den vergangenen Jahrzehnten nie hinterfragt worden ist. Die Würde eines Ehrenbürgers war stets erhaben über den Zeitgeist. Diese Würde gibt der Dankbarkeit Ausdruck, die unsere Stadt gegenüber einer herausragenden Persönlichkeit fühlt. Sie kennzeichnet die überragende Bedeutung des Trägers dieser Würde. Und sie stellt sein außerordentliches Engagement mit seinen die Stadt prägenden Leistungen heraus.

Es wird häufig belächelt, wenn von Frankfurt am Main als Metropole gesprochen wird. Ein Weltflughafen, eine Europäische Zentralbank, die Skyline der Stadt, sie alle konstituieren noch keine Metropole. Aber, weil Frankfurt ein intellektuelles Zentrum ist, besteht zusammen mit den anderen Voraussetzungen der hinreichende Grund, Frankfurt als Metropole zu bezeichnen, und zwar als menschliche Metropole. Ohne den Suhrkamp Verlag wäre Frankfurt kein intellektuelles Zentrum, und ohne Sie gäbe es den Suhrkamp Verlag nicht in dieser Bedeutung, wenn es ihn überhaupt noch auf dem hartumkämpften Literaturmarkt gäbe. Deshalb ist es eine schlüssige, beinahe notwendige Entscheidung der Stadt Frankfurt am Main, Ihnen die Ehrenbürgerwürde zu verleihen.

Die Stadt Frankfurt ehrt den Homme de lettres, der tief verwurzelt ist in der geistigen Kultur unserer Zeit und Gegenwart. Sie ehrt gleichzeitig den Visionär, der neue Entwicklungen sah und sieht. Sie ehrt dazu einen Gestalter, der diesen Entwicklungen entscheidend Raum zu Entfaltung und Wirkung gab und gibt.“ Das Wort Wirken war eines von Goethes Hauptbegriffen.

Schon drei Wochen später, am 26. Oktober 2002, beweinten nicht nur die Autoren des Verlags, sondern auch deren viele Leser den Tod des großen Pan Siegfried Unseld – in der Gewißheit, daß das Bleibende die Trauer mildert.

Nie sah man so viele Schriftsteller und Kollegen vom Feuilleton wie an diesem sonnigen Januarmorgen, die hinter Siegfried Unselds Sarg dem Bundeskanzler Gerhard Schröder und der Oberbürgermeisterin Petra Roth folgten: Christoph Hein, Adolf Muschg, Cees Noteboom, Jorge Semprun, Durs Grünbein, Friederike Mayröcker, Marcel Reich-Ranicki.

„Siegfried Unseld hat es gewagt, an das Gute im Menschen, das durch Lesen frei wird, zu glauben; er hat gewagt, zu glauben, daß Lesen hilft, daß Wörter die Dunkelheit zu spalten vermögen, bis sie ihr eigenes Licht abgibt ... das Vorstoßen in die fünfte Himmelsrichtung“ (Ulla Unseld-Berkéwicz in der Trauerhalle des Hauptfriedhofs).

Einen Monat später, am 8. Oktober, war die Paulskirche bis auf den letzten Platz besetzt, als Siegfried Unseld durch Schriftsteller seines Verlages geehrt wurde, die aus seinen gesammelten Schriften Texte ihrer Wahl vortrugen: „Wir sind ja eben deshalb da, um das Vergängliche unvergänglich zu machen“, hatte Goethe ihnen empfohlen: Albert Ostermaier las in der Paulskirche aus Unselds Text *Der Autor und sein Verleger*, der nüchtern Auskunft gibt über die Achtung und Treue des Verlegers zu seinen Autoren, die jene „Geheiligte Ware Buch“ (Brecht) produzieren, die uns des Lebens versichert:

„Das zeitweilig immer wieder auftauchende Unbehagen in der Beziehung zwischen Autor und Verleger beruht auf der merkwürdigen, januskköpfigen Tätigkeit des Verlegers. Er muß die *geheiligte Ware* Buch produzieren *und* verkaufen, d. h., er muß nun einmal Geist mit Geschäft verbinden und dies, damit der, der diese Literatur schreibt, leben kann, und der, der sie verlegt, in der Lage ist, sie zu verlegen.

…

Für den, der, wie der Verleger, in einer Schnittlinie von inneren und äußeren Ansprüchen, literarischen wie materiellen Zielen der Autoren steht, der die unermeßlichen Schwierigkeiten sozialer und ökonomischer Art sieht, die das Leben eines Schriftstellers und die Entstehung von Werken begleiten, ist es oft schwer, das Werk ohne Aura, den Autor ohne ein Besonderes zu sehen und einzuschätzen. Wer einmal selbst vor einem leeren weißen Blatt Papier gesessen hat (Horváth sagte: ‚Und das leere Papier ist so schrecklich weiß'), um Erlebtes oder Erfahrenes aufzuschreiben, der lernt die Achtung vor der Produktivität, die Achtung vor den Anforderungen, die an seine Urheber gestellt werden.

Diese Achtung soll sich in der Treue des Verlegers zu seinen Autoren niederschlagen. Die im engeren Sinn literarischen Verleger handelten aus dieser Einstellung, indem sie bei ihrer verlegerischen Arbeit nicht so sehr auf das einzelne, erfolgversprechende Buch, sondern auf das Werk, auf den Autor in seiner Gesamtphysiognomie bauten. Mit solchen Werken wächst dann der Verlag. Die einzelnen Titel sind Jahresringe, und im Laufe der Zeit entsteht organisch das, was wir Profil oder Gesicht eines Verlages nennen. Das ist so selbstverständlich nicht, wie es klingt.

Die Entscheidungen der Autoren für einen Verlag sind Entscheidungen zum Verlag in dessen Gesamtphysiognomie und sind Entscheidungen zum Verleger."

26. Friedrich von Metzler (2004)

Als ein prominenter Frankfurt-Nörgler neulich gefragt wurde, warum er trotzdem in dieser Stadt sein Leben friste, antwortete er ohne großes Federlesen: „Weil ich hier so wunderbare Menschen kenne wie Sylvia und Friedrich von Metzler." Diese Einschätzung teilen wohl auch all jene, die den Vorzug hatten, das sympathische Ehepaar in den großzügigen Dimensionen und der heimeligen Aura ihres Anwesens Hohenbuchen an der Mörfelder Landstraße als liebenswürdige Gastgeber zu erleben.

Wenn in ihrem herrschaftlichen Park im Frühjahr Hunderte von Rhododendren und Azaleen mit ihrer Blütenpracht das Auge betören und vor einer imposanten Waldkulisse ihren Zauber entfalten, da könnte wohl mancher meinen, Goethe hätte sein Wort von der „herrlich leuchtenden Natur" von Metzlers irdischem Arkadien abgeschrieben. Goethe war bei Friedrich von Metzlers Vorfahren häufiger Gast gewesen.

Aber nicht nur zum Augenschmaus angesichts der bunten Blütenszenerie, auch des kulinarischen Vergnügens wegen kommen die illustren Gäste von weit her, und nicht nur, um einander zuzuprosten. Hier erleben sie, wie dem abgenutzten Terminus „Kommunikation" sein ursprünglicher Wortsinn zurückerstattet wird. Im Park oder zwischen den kunstgeschmückten Wänden der Salons mischen sich die heterogenen Kreise der Kaufleute und Notare, der Künstler, Kustoden und Intendanten, der Geldaristokratie und des wirklichen Adels auf Augenhöhe mit den armen Schluckern der malenden und schreibenden Zünfte.

Bei gesetzten Essen „an den langen Tischen der Zeit" (Celan, *Die Krüge*) auf manchmal bis zu vierhundert Gartenstühlen unter einem weitgespannten Zeltdach auf englischem Rasen wurden schon mancherlei nachhaltige Beziehungen geknüpft, und mancher Kulturmanager hat hier endlich einen Sponsor gefunden wie mancher Mäzen seinen Künstler. Wichtiger noch ist den Metzlers, im Gespräch die Verkehrsströme der Gedanken mit kultureller Spannung aufzuladen.

Friedrich von Metzler repräsentiert in der elften Generation das älteste Bankhaus im permanenten Familienbesitz in Europa. Große Namen wie die Metzlers leben in ihren Werken fort, sie verharrten nie in der Selbstgenügsamkeit des jeweiligen Status quo. Geboren am 23. April 1943 in Dresden, ist er im Hause seiner Eltern Albert und Elisabeth von Metzler in der Wiesenhütten-Straße in einer „Kinderstube" aufgewachsen, in der das Staunen noch zu Hause war und die Befriedigung der Neugier ein erstrebenswertes Erziehungsziel. Nach Besuch des Lessing-Gymnasiums hat er sich auf Rat seines Vaters Albert, damals Partner der Metzler-Bank, zwischen 1964 und 1969 von internationalen Topadressen in die Geheimnisse der Bankenwelt einweihen lassen und sich auf die späteren Pflichten des Bankiers im eigenen Haus vorbereitet: in New York bei Smith Barney & Co. und Brown Brothers Harriman, in London bei

Albert von Metzler

J. Henry Schroder Wagg & Co., in Paris bei Hottinguer & Cie. sowie bei der Deutschen Bank in Düsseldorf.

1969 ist er in das Bankhaus B. Metzler seel. Sohn & Co. eingetreten, wo er und sein Vetter Christoph 1971 als Partner in der obersten Etage der Geschäftsleitung Verantwortung übernahmen. Christoph war in der Bank für das Treasury-Geschäft zuständig und stellte weitsichtig das Kreditgeschäft um auf intelligente Finanzierungsberatung, Corporate Finance und die Begleitung der Kunden bei der Analyse ihrer Währungsrisiken, da er frühzeitig sah, daß eine Privatbank beim klassischen Kreditgeschäft strukturell benachteiligt ist. Daß der Frankfurter Wertpapierbörse in den Jahren 1989 bis 1993 ein gewaltiger Quantensprung gelang, war Friedrich von Metzler geschuldet, der in dieser Zeit deren Vorsitzender des Vorstands war. Gleichzeitig wurde die Umwandlung der Wertpapierbörse in eine moderne, international konkurrenzfähige Börse vorangetrieben. Diese Aufgabe übernahm er von 1990 an als Vorsitzender des Aufsichtsrates der Frankfurter Wertpapierbörse AG. Die Neupositionierung fand 1993 ihren Abschluß in der Gründung der Deutschen Börse AG.

Gemäß dem Metzler-Motto: „In erster Linie die Unabhängigkeit des Hauses bewahren", übernimmt Friedrich von Metzler nur sehr wenige, ausgewählte Aufsichtsrats- und Beiratsmandate. Damit ist gewährleistet, daß es zu keinen Interessenkonflikten zu Lasten der Kunden des Bankhauses kommt.

Friedrich von Metzlers einzigartiges Lebensgefühl speist sich aus dem Humus seiner professionellen Arbeitsfelder und der ursächlich damit verknüpften produktiven Ernten sowie den gelingenden Wettbewerbskämpfen, worin sich unterm Strich der solide verdiente Wohlstand begründet. Dieser dient vor allem der Sicherung der Unabhängigkeit des Unternehmens durch die Bildung von Reserven und der Finanzierung des Wachstums. Einer alten Tradition des Hauses verpflichtet, zieht Friedrich von Metzler seine Wechsel aus den heute noch gültigen Werten des Erbes. Er weiß, daß nur jenes Traditionsbewußtsein nützlich ist, das aus der kritischen Reflexion des Überlieferten hervorgeht. Er mißtraut mancher Tradition aber nur, um für sie plädieren zu können.

Feiern wir mit ihm die Renaissance von Begriffen wie Wahrhaftigkeit, Anständigkeit, honorigem Handeln, gegenseitigem Vertrauen zwischen Bank und Kunden. Der Chef setzt auf die Erfahrung, daß Vertrauen als Grundkapital das Vertrauen ins materielle Kapital der Bank steigert. Die Klammer all dieser Tugenden bildet die Metzlersche Kardinaltugend Redlichkeit. Zum Erfolgsrezept von Friedrich gehören außer seinem aus dem Herzen fließendem Charme und einer natürlichen Noblesse eine Prima-vista-Empathie, aber auch souveräne Gelassenheit, die im Selbstvertrauen gründet. Gelebte Liberalität, Muße und ein eingeborener Sinn für das Schöne in Natur und Kunst runden das Bild. Alle diese immateriellen Werte und sein Sinn für die Anmut dekorativen Lebens helfen Friedrich von Metzlers Talent zum Glücklichsein konstituieren.

Um so dramatischer schlagen unvorhersehbare Schicksalsschläge ein, wie 2002 die brutale Ermordung des 11jährigen Sohnes Jakob, die das Glück der Familie beugte. Da ist es nicht einmal ein schwacher Trost, wenn die ganze Republik Anteil nimmt an ihrem Schmerz. Nach dieser Grenzerfahrung haben sich die Freunde strikt an des Philosophen Ludwig Wittgensteins berühmten Satz aus dem *Tractatus* gehalten: „Worüber man nicht sprechen kann, darüber muß man schweigen." Trost fanden die Eltern außer in der Nähe ihrer beiden die Seele wärmenden Kinder Elena und Franz bei der Muse Polyhymnia, in den herzmächtigen *Letzten Liedern* von Richard Strauss, bei Schuberts *Winterreise* oder Mahlers symphonischen Dichtungen – diese waren Metzlers Lieblingskomponisten auch in glücklicheren Tagen. Die Künste sind im Leben von Sylvia und Fritz eines der verbindenden emotionalen Fermente, denen das familiäre Glück seine Dauer mit verdankt.

Die genannten Komponisten gehören auch sonst zum Muße-Repertoire der Metzlers, ergänzt selbstverständlich um den heiteren Mozart. Mit regelmäßigen Premierenbesuchen der ausgezeichneten Frankfurter Oper äußert Friedrich von Metzler ungeniert seine Wertschätzung dessen, was die Konventionen der Opernhabitués übersteigt, wie zum Beispiel experimentelle Inszenierungen eines Hans Neuenfels, in denen neben der Partitur gleichberechtigt auch das Libretto zur vollen Geltung kommt. Auch die Alte Oper befriedigt Metzlers Sehnsucht nach symphonischer Erlebniskultur durch die erste Garde weltbekannter Pultstars.

Weil neben der Kultur auch Essen und Trinken „des Menschen Leben“ sind, wie Goethe aus Erfahrung formuliert, besuchen die Metzlers nach dem ästhetischen Labsal mal das „Operncafé“, mal das „Holbein's“, ein andermal „Ernos Bistro“. Aber auch Sachsenhäuser Äppelwoilokale kennen Fritz Metzler als fröhlichen Gast, der zur zünftigen Frankfurter Küche gern seine Freunde mitbringt und an langen Tischen und Bänken mit wildfremden Leuten über Gott und die Welt, und das heißt über Frankfurt, plaudert. In solchen Zufallsgesprächen befriedigt Metzler seine Neugier auf Menschen und was sie umtreibt.

Friedrich von Metzler mißfallen Snobs, die glauben, es ihrem Rang schuldig zu sein, Kultur nur in deren vermeintlichen Metropolen sich einverleiben zu sollen. Für den kosmopolitischen Lokalpatrioten ist Frankfurt nicht nur das Bankenzentrum Kontinentaleuropas, sondern auch die kulturelle Hauptstadt der Bundesrepublik.

In Metzlers Anwesen hängen schöne und verwegene Bilder weniger als das Milieu verfeinernde dekorative Innenausstattung, sie sind ihm Bedürfnis. Ob seiner Bevorzugung der ewigen Werte der Kunst gegenüber jenen flüchtigen der Ökonomie gilt Friedrich von Metzler als untypischer Exponent seiner Zunft. So schätzt er gelegentlich auch das, was die Vernunft übersteigt. Denn man verknüpft sich nicht sicherer mit der Welt als durch die Kunst, zitiert Friedrich von Metzler „seinen“ Goethe geläufig, den er wie keinen anderen Klassiker nicht nur bei Bedarf zu Rate zieht, sondern aus dessen Texten er auch Wechsel zieht auf die Zukunft. In seinem inklusiven Lebensszenario gehören Literatur und Kunst unabdingbar hinzu.

Weil Kunst aber nicht nur jenen gehört, die sie sich leisten können, trägt der Privatbankier auf vielerlei mäzenatische Weise dazu bei, Kunstwerke einer breiteren Öffentlichkeit zugänglich zu machen.

Zur Frankfurter Kulturkulisse gehört seit Rothschilds Zeiten das Nizza am nördlichen Ufer des Mains mit seinen subtropischen Feigen-, Zitronen- und Lorbeerbäumen. Zu Füßen des Rothschildpalais am Untermainkai hat die Metzler-Bank 2004 ein Restaurant mit offener Front zum Park und Main gebaut, das die alte Tradition in die Gegenwart verlängert. Ein gern in Besitz genommenes Geschenk an die Frankfurter.

Friedrich von Metzler ist dezidiert das, was Goethe ein Augenwesen nannte. Er hat aber nicht nur einen klinischen Blick für Zahlen und was sie verbergen, seine Augen sind begabt auch für die Ästhetik des Daseins in unserer von ökonomischem Denken überschatteten Welt. Seine offenen Augen für die Künste, deren Endzweck nach Lessings *Laokoon* Vergnügen ist, haben ihn zu einem modernen Maecenas verführt. Und da es unsere Museen übernommen haben, die Kunst einem breiten Publikum zu vermitteln, das sich durch die Mühe der Wahrnehmung nicht nur Vergnügung als die nobelste Funktion der Kunst erhofft, sondern auch geistige Bereicherung oder vielleicht sogar seelischen Gewinn in metaphysisch obdachloser Zeit, fördert Metzler die Frankfurter Museumslandschaft. Auch die Schönheit des Unnützen sollte ihre Chance bekommen!

Um die Museen zu größerer Eigeninitiative anzustiften, hat Metzler 1999 gemeinsam mit dem amtierenden Kulturdezernenten Hans-Bernhard Nordhoff ein System ausgeklügelt, das aber nur den tüchtigen unter den Museumsdirektoren gefällt. Das neue Rechenexempel folgt nicht der Logik von Adam Rieses Einmaleins, sondern derjenigen von Friedrich von Metzler, und die lautet: „1 + 1 = 3“. Metzler erklärt sich nämlich bereit, die erste Million direkt zu zahlen, die zweite aber erst dann, wenn die Museen es schaffen, ihrerseits eine Million Mark zu sammeln. Ein Jahr Zeit hatten die 10 beteiligten Institute dazu. Das Ergebnis: Für rund 7 Millionen Mark konnten Ankäufe und Projekte verwirklicht werden. Metzlers Modell könnte als Zukunftsoption modernen Mäzenatentums die vertrocknenden Feuchtbiotope der Kunstförderung bewässern helfen. Die Bank hofft auf geneigte Nachahmer. Wie kaum ein anderer seiner Zunft hat Friedrich von Metzler begriffen, wie viel Kultur und Künste zur Wertschöpfung beitragen können.

Da Frankfurts Mammut-Universität mit ihren Professoren eine wichtige inspirative Quelle für Innovationen und greifbaren Fortschritt auch für die Stadt bedeutet, aber nicht über genügend Mittel für den notwendigen Ausbau von Spezialgebieten und speziellen Forschungsfeldern verfügt, hat sich Friedrich von Metzler auch hier mit gehörigem Enthusiasmus engagiert.

Um mitzuhelfen, über die Aufwertung der wissenschaftlichen Lehre und Forschung wieder als Elite-Uni in eine internationale Spitzenstellung vorzustoßen, hat die Bank im Fachbereich Wirtschaftswissenschaften 1992 eine Gastprofessur für internationale Finanzwirtschaft gestiftet. Die Stiftungsprofessur garantiert die Verbindung von Lehre und Forschung in den Fächern Corporate Finance, Mergers und Acquisitions, Versicherungswirtschaft sowie Wertpapier- und Kapitalmarktanalyse. Zugleich wurde damit eine enge Zusammenarbeit mit dem Mekka der Finanzwirtschaft, der „Wharton School" der University of Pennsylvania geknüpft.

Dieses Metzlersche Engagement kann in einer Stadt mit Weltflughafen und mehr als 400 internationalen Banken samt Europäischer Zentralbank als Drehscheibe und Angelpunkt einer accellerierenden Entwicklung nicht hoch genug veranschlagt werden. Metzler denkt zwar stadtüberwölbend global, er blickt dabei aber mit einem Auge auch auf den Vorteil für das eigene Unternehmen: Mit Friedrich von Metzler und den Partnern hat sich das Bankhaus Metzler mit seinen diversen Impulsen zur Renaissance der Stiftungskultur in der Bundesrepublik einen hervorragenden Ruf erworben, der hilft, auch im Bankgeschäft manche Tür zu öffnen.

Friedrich von Metzlers optimistische Lebenssicht gebiert Visionen über den engen Bankenradius weit hinaus. Weil er den tradierten Kanon seiner Zunft und deren herrschende Codes aus dem Effeff beherrscht, kann er sich auch leisten, sie dann und wann in Frage zu stellen. Es ist diese Souveränität, die ihm den spielerischen Umgang mit dem gängigen Habitus gestattet und die entscheidende Differenz innerhalb der Regeln ausmacht.

Dabei ist Unabhängigkeit für Metzler das wichtigste „Asset": Die Mitarbeiter können ohne Interessenkonflikte allein im Auftrag des Kunden handeln und ihn entsprechend objektiv beraten.

Heute konzentriert sich die Metzler-Bank auf fünf Bereiche, worin

„wir unabhängig von unserer Größe genauso gut sein können wie unsere größten Wettbewerber“ (Metzler): Große institutionelle Vermögen werden von der Metzler Asset Management GmbH verwaltet. Im Geschäftsbereich Corporate Finance sind die Bereiche Mergers & Acquisitions, Privatisierungen, Restrukturierungen sowie die Beratung bei Börseneinführungen/Kapitalmarkttransaktionen zusammengefaßt. Dabei agiert Metzler im Auftrag nationaler und internationaler Unternehmen sowie privater und öffentlicher Auftraggeber. Daneben erstellt die Sparte Equities Aktienprognosen, tätigt aber für ihre Kunden auch Wertpapierkäufe und -verkäufe. Ein wichtiges Geschäftsfeld ist auch der Bereich Financial Markets, in dem Devisen gehandelt und Zinsen und Fremdwährungen gemanagt werden. Der fünfte Metzler-Sektor schließlich, Private Banking, betreut größere private Vermögen. Gerade in diesem sensiblen Vertrauensbereich ist es wichtig, dem Kunden zu zeigen, daß die Bank dessen Geld wie das eigene behandelt.

Zusammengefaßt heißt das nichts anderes, als daß „eine Privatbank, die das gleiche Geschäft betreibt wie große Banken oder eine Sparkasse, im Grunde seine Daseinsberechtigung verloren hat“, wie ein Kernsatz aus Friedrich von Metzlers Unternehmensphilosophie lautet. Metzler engagiert sich nur in Geschäftsfeldern, die zur Struktur einer Privatbank passen. Konsequent hat sich sein Bankhaus schon in den Siebzigern aus dem Kreditgeschäft verabschiedet, obwohl es damals durchaus profitabel war. Wie sehr die Metzlers immer schon Instinkt für neue Entwicklungen hatten und neue Trends entweder antizipierten oder selber mithalfen, diese zu entwickeln, beweist die Tatsache, daß Metzler heute, am Beginn des 21. Jahrhunderts, eine von nur noch einer Handvoll Privatbanken in Frankfurt ist. Vor hundert Jahren gab es davon noch rund 200 in der Stadt, die Weltwirtschaftskrise, Inflation, Hitler und die Globalisierung jedoch nicht überstanden. Die 570 Mitarbeiter von Metzler fühlen sich in einem Unternehmen gut aufgehoben, das nicht nach den ehernen Gesetzen der Oligarchie geführt wird, obwohl die Familie hundertprozentiger Anteilseigner des Hauses ist.

Friedrich von Metzler wurde nicht nur für eine satte Lebensge-

schichte im jungenhaften Alter von sechzig schon Ehrenbürger Frankfurts, sondern wohl auch, weil die Stadt sich noch einiges von ihm erhofft. Im Sinne des Philosophen Kant besteht für Friedrich von Metzler die dauerhafte Pflicht gegen sich selbst darin, daß der Mensch die Würde der Menschheit in seiner eigenen Person bewahre.

*

Am 5. September 2004 umhüllte Oberbürgermeisterin Petra Roth in der Paulskirche den 26. Ehrenbürger der Stadt Frankfurt mit einem Königsmantel aus schönen klugen Worten, nicht ohne auch die bis in die zweite Hälfte des 17. Jahrhunderts zurückreichende Tradition des Bankhauses Metzler angemessen zu würdigen:

„Seit mehr als drei Jahrhunderten stehen die Metzlers genau für ein geschichtliches Bewußtsein, das auch ihr gegenwärtiges Handeln und ihren Zukunftswillen bestimmt. Wirtschaftlicher Erfolg und gelebte ethische Maximen, die sich am Gemeinwohl orientieren, waren bei den Metzlers nie Gegensätze, gewiß auch nicht für unseren jüngsten Ehrenbürger. Friedrich von Metzler steht an der Spitze einer Privatbank, die 1674 gegründet wurde und sich seitdem im Familienbesitz befindet."

Petra Roth schwärmte von den Vorfahren des neuen Ehrenbürgers und von der erfolgreichen Geschichte des Bankhauses, die ungeachtet der Turbulenzen in jenen drei Jahrhunderten und den Veränderungen in Wirtschaft und Finanzwelt in den jüngsten drei Jahrzehnten seines Bestehens, die Grundlagen für das mäzenatische Handeln fortführten:

„Diese Vorbilder aus vielen Generationen erfolgreicher Bankiers und engagierter Familienmitglieder mit echtem bürgerschaftlichem Tun hätten für Friedrich von Metzler bedrückend wirken können. Nein, sie waren für ihn Leitbilder. Dieses geistige Erbe war für ihn Aufgabe und Ansporn: Auch er setzte sich Ziele und er wuchs darüber hinaus! Eine Persönlichkeit, dessen altruistisches Wirken und dessen Gemeinsinn wir heute ehren. […]

Der Name Metzler steht in unserer Stadt für Tradition und Partnerschaft. Der Bankier ist ein uneigennütziger Ratgeber, der Souveränität mit menschlicher Wärme und Herzlichkeit verbindet.

Friedrich von Metzler bietet als einzelner – auch im Hinblick auf seine Familiengeschichte – Vorbildcharakter. Die anderen großen Familien dieser Stadt, die Bethmanns, die Mertons, die Gontards, um nur einige zu nennen, haben, wie die Metzlers, stets Weitsicht bewiesen, wenn es um die Zukunftsfähigkeit Frankfurts ging."

Die Laudatio auf den 26. Ehrenbürger hielt kein Geringerer als Weltbankpräsident James D. Wolfensohn aus Washington. Der sozial hochengagierte Vordenker der Weltbankgruppe berief sich in seiner

Paulskirchenrede wiederholt auf Willy Brandt, dessen Namen er öfter beschwor, als er den Namen des neuen Ehrenbürgers nannte. Ja, Brandt war die Welle, die den politischen Teil seiner Rede trug. Friedrich Metzler hatte ihn ausdrücklich gebeten, statt sich großartig auf seine Vita zu kaprizieren, auf die Weltprobleme und dabei ganz besonders auf das Armutsgefälle zwischen den Nationen einzugehen. Friedrich von Metzler genügte die Anwesenheit des hochangesehenen Weltbankpräsidenten als besonderer Ehrenerweis.

Anhand demographischer Statistiken brachte Wolfensohn das Versagen der Weltpolitik in der Bekämpfung der Armut auf den kritischen Punkt, wonach 80 Prozent des Welteinkommens auf eine Milliarde Menschen entfallen, während eine weitere Milliarde mit weniger als einem Euro pro Tag ums Überleben kämpft:

„Eine Milliarde Menschen hat keinen Zugang zu sauberem Wasser, hundert Millionen Kinder haben keine Aussicht auf eine Schulausbildung und mehr als vierzig Millionen Menschen in den Entwicklungsländern sind HIV-positiv mit geringen Chancen, eine Behandlung dieser schrecklichen Krankheit zu erhalten.

In den nächsten 30 Jahren wird die Weltbevölkerung um zwei Milliarden Menschen anwachsen, aber nur fünfzig Millionen davon werden in den reichen Ländern leben.

Globales Wirtschaftswachstum wird zu einer notwendigen Voraussetzung für Stabilität, aber es muß auch ein gerechtes Wachstum sein. Die überwiegende Mehrheit der neuen Jugend wird mit der Perspektive geboren, in Armut aufzuwachsen, desillusioniert von einer Welt, die sie unweigerlich als ungerecht und unfair erachten. Angesichts einer zusammenwachsenden Weltgemeinschaft ist es an der Zeit, unsere Denkweise zu ändern und allen jungen Menschen unserer Erde Chancen und Hoffnungen zu geben.

Wir müssen begreifen, daß es Armut in unserer Gesellschaft gibt, wo immer wir leben. Es ist unsere Verantwortung, die im Jahr 2000 von den Vereinten Nationen verabschiedeten Millenium-Entwicklungsziele bis zum Jahr 2015 zu erreichen, um damit unseren Kindern ein Leben in einer stabileren Welt zu ermöglichen. Es ist Zeit für die politischen Spitzen, diese Verpflichtung zu erkennen, und für alle von uns, die neuen Realitäten anzunehmen und nach einer von mehr Ausgewogenheit und Gerechtigkeit geprägten Welt zu streben.“

Selten sah man am blumengeschmückten Marmorpult der Paulskirche einen zu Ehrenden so glücklich und unverkrampft strahlen wie Friedrich von Metzler. Er dankte nicht tief bewegt, aber mit souveräner tiefer Dankbarkeit:

„Ich fühle mich sehr geehrt durch diese hohe Auszeichnung. Ich bin ebenso gerührt wie begeistert, daß Sie alle diesen Festakt in der Paulskirche mit mir feiern. Ja, ich gestehe in aller Bescheidenheit: Ich freue mich über die Ehrenbürgerwürde sehr. Sie ist das Höchste, was einem Frankfurter widerfahren kann.

Frau Roth, Sie haben charmant übertrieben. Ich verspreche Ihnen aber, daß ich mir Mühe geben werde, die Lücke zwischen meiner Leistung und Ihren Ausführungen zu schließen.“

An Wolfensohn gewandt, setzte Friedrich von Metzler seine Dankesrede fort:

„Lieber Jim, ich bin dir sehr dankbar, daß du uns heute hast teilhaben lassen an deinen Erkenntnissen über das große Problem des Ungleichgewichts auf unserem Planeten. Du hast diesem Tag und uns eine besondere Ehre erwiesen, uns deine Erkenntnisse darzulegen, auf Entwicklungen hinzuweisen und die Problemlage authentisch zu schildern. Wir haben mit Interesse und Anerkennung gehört, was du für ein besseres Gleichgewicht tust, was die Weltbank im Großen dafür tut und tun kann. Dein missionarischer Eifer hat Erstaunliches bewegt, und er wird uns weiter bewegen. Du hast uns eindringlich die Gefahren bewußt gemacht, die von diesem Ungleichgewicht ausgehen. Wir müssen uns bewußt werden: Ein jeder muß helfen.“

Wieder Oberbürgermeisterin Petra Roth zugewandt, fuhr er fort:

„Sie haben mich ausgezeichnet für mein Wirken im Kleinen. Ich habe Jim gebeten, über seine große Aufgabe zu sprechen, um nicht nur einen Jubeltag zu begehen und um – von meiner Person ein wenig ablenkend – unsere Aktivitäten ins rechte Verhältnis zu setzen. Jedes bürgerliche Engagement ist wichtig, egal in welcher Größenordnung, denn es bleiben noch gewaltige Aufgaben zu lösen, damit der Planet sein Gleichgewicht findet. So wie sich ein Mosaik aus einzelnen kostbaren Steinen zusammensetzt, ist jedes ehrenamtliche Engagement eines Bürgers, jede Initiative wertvoll und notwendig auf dem Weg dahin.

Ich möchte auch Ihnen, Herr Bundespräsident Köhler, sehr herzlich dafür danken, daß Sie gekommen sind, und daß Sie unsere Themen heute unterstützen. Ihre Glückwünsche im Kaisersaal vor wenigen Minuten haben mich sehr gerührt. Das hat diesen Tag für mich noch einmal mehr zu einem besonderen Tag gemacht. Vor allem deshalb, weil Sie sich genau wie ich an unser erstes gemeinsames Treffen vor vielen Jahren erinnern. Ich kam als jüngerer Mann zu Ihnen ins Finanzministerium. Sie legten mir mit großem Gestaltungswillen dar, wie Sie den Kapitalmarkt in Deutschland modernisieren wollten. Das war neu, das hat es lange Jahre nach dem Krieg nicht gegeben, daß sich eine Bundesregierung zum Ziel gesetzt hatte, unseren Kapitalmarkt neu zu gestalten und zu reformieren. Und obwohl Sie damals große Aufgaben in den neuen Bundesländern hatten, haben Sie noch die Zeit, Energie und den Willen gefunden, Reformen anzustoßen, so daß heute die Deutsche Börse AG – ich werde später noch kurz darauf eingehen – ein Riesenerfolg geworden ist.

Natürlich weiß ich, daß mir die Auszeichnung als Ehrenbürger nicht alleine gebührt. Wenn ich heute ausgezeichnet werde, dann deshalb, weil ich fortgeführt habe, was meine Vorfahren begonnen haben. Deshalb nehme ich die Ehrenbürgerwürde auch für meine Vorfahren in Empfang. Ihre Namen sind eng verbunden mit verschiedenen sozialen und kulturellen Institutionen in Frankfurt. Das bürgerschaftliche Engagement meiner Vorfahren ist mir stets Vorbild gewesen – und der Maßstab, an dem ich mich messen lassen will, nicht muß – will!

Insbesondere haben mich natürlich mein Vater Albert, meine

Schwester Barbara und meine Kusine Renate, die mich schon früh und immer wieder mit ihren großen sozialen Projekten motiviert, geprägt. Viele von Ihnen werden sich noch gut an Albert und Barbara erinnern: Unermüdlich trieben sie mit Kennerschaft und Begeisterung ganz unprätentiös und mehr im Hintergrund die Projekte voran, die ihnen am Herzen lagen. Sie lehrten mich, daß tätige Verantwortung für ein Gemeinwesen eine Pflicht ist, für die man alle Kraft einsetzen muß. Darüber hinaus zeigten sie mir durch Ihr Beispiel, daß es ein großes Geschenk sein kann, als Stifter zu wirken: Man läßt sich fesseln von inspirierenden und ungewöhnlichen Menschen, man gewinnt über die Jahre echte Freunde, empfindet tiefe Zufriedenheit, wenn Projekte gelingen, und erweitert nebenbei ständig seinen Horizont. Der Lohn ist in jedem Fall weit größer als die Mühe. Deshalb versuchen wir auch immer, andere zum Stiften anzustiften, um diese Erfahrungen und diese Freude weiterzugeben.

Die Auszeichnung erhalte ich auch stellvertretend für die Mitarbeiter des Bankhauses Metzler, die durch ihr großes persönliches Engagement und die Übernahme zahlreicher Patenschaften viele unserer Projekte vor allem im sozialen, aber auch im kulturellen Bereich erst ermöglicht haben. Oftmals konnten wir Projekte fördern, die Mitarbeiter bereits jahrelang mit eigenen Kräften unterstützt hatten. Wir haben gleichzeitig die Erfahrung gemacht, daß die Mitarbeiter sehr von den Projekten, die Metzler unterstützt, profitieren. Sie haben neue Erfahrungen gemacht, Dinge erlebt, die sie noch nicht kannten. Manchmal haben Wertmaßstäbe sich geändert und man erkannte wieder, daß andere Dinge wichtiger sind als die Arbeit und das Geldverdienen.

Und ich erhalte die Auszeichnung stellvertretend für die vielen Bürger, die wir anstiften konnten, ihren Beitrag zum wertvollen Mosaik zu leisten.

Ich werde oft nach den Motiven für mein Engagement gefragt. Ich antworte ganz einfach: ‚Ich bin ein Frankfurter'.

Unsere Stadt liegt im Herzen Kontinentaleuropas, sie verfügt über einen der modernsten Flughäfen weltweit und eine überdurchschnittlich gute Infrastruktur – vom Internetknotenpunkt über die Autobahnen bis zu den Wasserstraßen. Frankfurt ist eingebettet in einen der größten Wirtschaftsräume Europas mit 3,5 Millionen Menschen.

Von diesen natürlichen Standortvorteilen haben die Messe und die Börse jahrhundertelang profitiert. Wir müssen alles tun, die natürlichsten Vorteile zu erhalten und weiterzuentwickeln. Ich ermutige alle, sich aktiv dafür einzusetzen: Seien Sie mutig und zukunftsorientiert! Neben dem Ausbau des Flughafens muß in jedem Bereich der Standort ständig gemanagt werden. Denn, wie gesagt, auch die natürlichsten Standortvorteile bleiben nicht erhalten, wenn sie nicht durch engagiertes Management weiterentwickelt werden. Dies ist entscheidend für unsere Zukunft und die unserer Kinder.

Bei der Gestaltung der Zukunft hilft das Wissen um die eigene Stärke und ein Gespür für Chancen. Der Glaube an das Machbare begeistert uns, ermutigt uns, bringt Menschen miteinander in Kontakt – und führt schließlich zu den besten Ergebnissen. Der Finanzplatz Frankfurt ist viel besser als sein Ruf und verbessert sich zur Zeit stark. Er hat in den vergangenen 15 Jahren eine große Aufholjagd hinter sich gebracht; London einzuholen, war nie ein realistisches Ziel. Der Abstand hat sich aber verringert, und Frankfurt hat an Dynamik, aber auch an Lebensqualität deutlich gegenüber anderen europäischen Metropolen gewonnen: Vergessen Sie nicht, wie langweilig das Kapitalmarktgeschäft in den 70er Jahren war: Herr Bundespräsident, das wissen wir.

Bei der Förderung der Stadt Frankfurt als Kultur- und Finanzzentrum ist es uns ein Anliegen, ein feingesponnenes Netz zu knüpfen und es mit anderen Netzen immer enger zu verweben. Das ist vielleicht unsere größte Stärke: Mit Gesprächen, Begeisterung, Ideen und Gestaltungskraft bringen wir die richtigen Partner zusammen. Und so ist Frankfurt der Prototyp einer modernen europäischen Stadt in der globalisierten, vernetzten Welt, denn sie hat ein vielschichtiges, solides Fundament, tragfähig als Brückenkopf in die Welt.

Jetzt bekommt meine Rede einen gewagten Bruch. Ich tue etwas, was mir in der Öffentlichkeit immer strengstens verboten war und ist: Ich danke meiner Frau Sylvia. [*Lang anhaltender Beifall*] So einen langen Applaus habe ich noch nie bekommen, Sylvia. Ich freue mich darüber, und ich sehe, Du lächelst auch. Vielleicht ist es Dir im Moment peinlich, aber ich bin überzeugt, es wird Dich noch lange Jahre freuen.

Ich komme zurück zur vernetzten Welt. Wie kein zweiter steht ein berühmter Frankfurter für dieses vernetzte Denken und Handeln – dem es allerdings nicht vergönnt war, Ehrenbürger dieser Stadt zu werden: Johann Wolfgang von Goethe. Ihm wurde diese Ehre erst im hohen Alter angetragen. Das erschien ihm deutlich zu spät, und er lehnte ab. Ich habe es gerade noch geschafft. Goethe hat, was ich in meinen Dankesworten ausdrücken wollte, wunderbar eindringlich zusammengefaßt. Ich gebe es gekürzt wieder:

‚Und umzuschaffen das Geschaffne,
Damit sich's nicht zum Starren waffne,
Wirkt ewiges, lebendiges Tun.
Es soll sich regen, schaffend handeln,
Erst sich gestalten, dann verwandeln;
In keinem Falle darf es ruh'n.'"

Das Frankfurter Ehrenbürgerstatut

Die Stadt Frankfurt komponiert in der Summe ihrer Ehrenbürger ein Idealbild von sich selbst. Allerdings existiert kein Frankfurter Ehrenbürgerstatut. Um so mehr scheint es geboten, genauere Kriterien zu formulieren und als gültige Satzung zu beschließen, aufgrund welcher Verdienste eine Bürgerin, ein Bürger Frankfurts das Ehrenbürgerrecht verliehen bekommt.

In den allgemeinen, also unpräzisen Richtlinien des am 25. März 1867 erlassenen „Gemeindeverfassungsrechts" wurde erstmals die Verleihung der Ehrenbürgerwürde gesetzlich geregelt. Nach diesem inzwischen anachronistischen Dokument ist der Magistrat bei Zustimmung der Stadtverordnetenversammlung befugt, „Männern, welche sich um die Stadt besonders verdient gemacht haben, ... das Ehrenbürgerrecht zu erteilen, wodurch keine Verpflichtungen entstehen." Also keine kostenlose Fahrt mit öffentlichen Verkehrsmitteln oder freier Besuch der öffentlichen Schwimmbäder.

Er/Sie hat sich „um die Stadt verdient gemacht", ist aber eine ebenso banale wie stereotype Floskel, die in jeder Traueranzeige für einen dahingeschiedenen kommunalen „Verantwortungsträger" Tröstung verheißt. Es erspart dem Aussteller des Lobes die Mühe einer Begründung. Bei der Kür von Persönlichkeiten für die höchste Ehrung sollte die Begründung aber schon etwas dezidierter verfaßt sein.

Bei der Konstituierung eines Ehrenbürgerstatuts sollten sich die Verfasser weniger an den bisherigen Ehrenbürger-Porträts orientieren als an einem objektiven Ideal. Das hieße ab ovo zu beginnen: Welche Indikatoren müßten also herangezogen werden, damit eine Findungskommission sich ihr Urteil bilden und anhand einer solchen Elemententafel stichfest begründen kann?

Es sollten in einem Katalog der Verdienste zum Beispiel folgende Kriterien eine Rolle spielen: Familientradition; Ausbildung und Bildung; berufliche Karriere und ob diese sich objektiven Leistungen verdankt; was macht den besonderen Wert dieser Leistung für das Ansehen der ehrenden Stadt aus? Ein Frankfurter Ehrenbürger sollte möglichst ein originäres Frankfurter Gewächs sein, das mindestens ein halbes Leben lang Bürger dieser Stadt gewesen ist, schon damit niemand hofft, sich in die Ehrenbürgergilde einfach einkaufen zu können. Welche besonderen ehrenamtlichen Tätigkeiten sind in Rechnung zu stellen? Welches soziale oder mäzenatische Engagement unterscheidet den Kandidaten von den üblichen? Empfiehlt er/sie sich auch durch Charakter und Moral als Vorbild? Sollte die „Würde des Alters" eine Rolle spielen? Ist ein abgeschlossenes Lebenswerk Voraussetzung für eine Ehrenbürgerwürde? Wie Heuss, Horkheimer oder Abs sollte ein Ehrenbürger einen Maßstab verkörpern.

Das Inventar an Leitbildern müßte summa summarum nicht nach einem pedantischen Punktesystem etwa der sportlichen Triathlon-Disziplin gebildet werden, aber in der Quersumme dürften schon die Antworten auf die Fragen keine Zweifel übriglassen. Unbedingt müßten solche Verdienste unberücksichtigt bleiben, die einem puren Aktivismus parteipolitischer Provenienz geschuldet sind. Es muß auch der bloße Anschein vermieden werden, die Parteien kungelten hier Proporze aus. Um so wichtiger wäre es, wenn die Entscheidungen einstimmig wenigstens unter den Parlamentariern mit Fraktionsstatus gelängen.

Auch sollte festgelegt werden, in welchen Abständen eine Ehrenbürgerschaft verliehen wird. Seit es diese Frankfurter Ehrung gibt, seit 1795, sind 26 Bürger damit ausgezeichnet worden. Zwischen 1796 und 1816 und von 1828 bis 1844 wurde offenbar kein einziger Frankfurter für entsprechend außergewöhnlich würdig befunden, während im Jahre 1959 gleich drei Persönlichkeiten mit Lorbeer bekränzt wurden. Ein künftig regelmäßiger Turnus könnte außerdem dazu beitragen, die Ehrenbürgerwürde vor einer Inflationierung zu retten.

Bei einer ersten Analyse der Ehrenbürger-Liste springen dem unbefangenen Leser Achsenverschiebungen im nicht besonders fein justierten Koordinatensystem von Geist und Macht ins Auge. Deshalb empfiehlt sich eine gewisse Ausgewogenheit zwischen den Disziplinen und Fakultäten, den Arbeitsfeldern und Lebensbereichen, ohne das Verhältnisdenken gleich zu übertreiben. In einer Kategorientafel der Ehrenbürger sollte jedenfalls keine allzu große Asymmetrie entstehen zwischen Persönlichkeiten aus Industrie und Kreditwirtschaft, Wissenschaft und Kunst, Mäzenatentum und Politik.

Es darf aber auch kein Wettbewerb unter den Mäzenen stimuliert werden mit der Folge, daß die potentiellen Ehrenbürger sich mit Millionenbeträgen überbieten. Mich fragte im Foyer der Paulskirche neulich ein stilloser Neureicher ganz ungeniert, wieviel einer denn spenden müsse, um Ehrenbürger zu werden. Oswald von Nell-Breuning hätte da wohl keine Chance gehabt.

Letzte Frage: Mit welcher Begründung kann einem Ehrenbürger der Titel wieder aberkannt werden, falls er durch entsprechende unziemliche Vorkommnisse mißliebig geworden wäre und eigentlich kein ehrenwürdiger Ehrenbürger mehr genannt zu werden verdiente wie Hitler und Göring?

Bei den 1933 opportunistisch zu Ehrenbürgern ausgerufenen Nazipotentaten war die Begründung für die Aberkennung eindeutig auch ohne Rekurs auf Maximen im nicht vorhandenen Ehrenbürgerstatut. Die durch Hitler und Göring entehrten Ehrenrechte wurden ihnen 1947 förmlich entzogen, während dem Ehrenbürgergespenst Paul von Hindenburg der Ehrentitel belassen worden ist. Immerhin war es diese aus kollektiven heroischen Sehnsüchten camouflierte Vaterfigur Hindenburg, die Hitler durch seine Ernennung zum Reichskanzler in den Sattel der Macht gehoben und damit den Weg zu Machtmißbrauch, Terrorherrschaft und letalem Antisemitismus geebnet hatte. Im Sumpf des reaktionären Traditionalismus watete der abgehalfterte greise Generalfeldmarschall ans Ufer der nun braunen Bataillone und schwarzen Leibstandarten, die er mit seinem Marschallstab in Potsdam segnete.

Die hessische Gemeindeordnung in der Fassung vom 1. April 1981 ermächtigt die Gemeinden, Ehrenbürgerrechte „wegen unwürdigen Verhaltens“ auch wieder zu tilgen. Im Vorgriff darauf machte davon die Stadt Frankfurt 1947 im Falle von Hitler und Göring lapidaren Gebrauch. Dagegen hat der Magistrat im Falle Hindenburgs trotz eindeutigen Kausalzusammenhangs mit Hitlers Nobilitierung durch den als „Tag von Potsdam“ verbrämten „Tag der nationalen Erhebung“ am 21. März 1933 durch frappante Erinnerungsverluste vor analogen Konsequenzen gekniffen.

Aber wie lauteten die Konsequenzen etwa bei kriminellen Verstrickungen oder moralisch verwerflichen Verstiegenheiten? Da moralische Grenzen bekanntlich labil sind, kann das entscheidende Kriterium nur in der Antwort auf die Frage gefunden werden, ob der Ehrenbürger als Vorbild einer ausdrücklich auch moralischen und demokratisch gesitteten Elite noch taugt. Einer solchen implizit sittlichen Verpflichtung wurde in der jeweiligen Laudatio als einem der wesentlichen Gründe für die Ehrung schließlich applaudiert.

Träger der Frankfurter Goethe-Plakette

Seit 1947 verleiht die Stadt Frankfurt auf Initiative des damaligen Oberbürgermeisters Walter Kolb die Goethe-Plakette. Empfänger sind Schriftsteller und Künstler, Wissenschaftler und andere Persönlichkeiten des kulturellen Lebens, „sofern ihr schöpferisches Wirken einer dem Andenken Goethes gewidmeten Ehrung würdig ist". Welche Rekrutierungsmerkmale und Karrierebahnen die intellektuelle und schöpferische Elite kennzeichnen, wird nicht näher definiert.

Um die Verleihung dieser hohen Auszeichnung nicht zu inflationieren wie in den Jahren 1949 und 1950, als noch ein Nachholbedarf zu befriedigen war, sollen höchstens bis zu fünf Plaketten pro Jahr verliehen werden, seit 2004 nur noch zwei. Darüber, wer für würdig befunden wird, im Olymp der Frankfurter Kulturgeschichte willkommen geheißen zu werden, entscheidet der Magistrat. Ein Vorschlagsrecht steht jedem Bürger zu. Die Laudatio hält das Stadtoberhaupt oder, seltener, der zuständige Fachdezernent.

In den vergangenen 57 Jahren wurden 133 Persönlichkeiten für würdig befunden, zur kulturellen Stadtelite gezählt zu werden, darunter nur neun Frauen. Ohne das segensreiche Wirken der vielen nicht geehrten Frauen wäre die Stadt ganz zweifellos um vieles ärmer im Geiste. Außer den so herausgehobenen Autoritäten der Frankfurter Wirkungsgeschichte nach dem Kriege haben indessen auch viele der nicht so hell im Rampenlicht strahlenden Künstler und Kulturmanager, Geisteskoryphäen und Kunstmäzene die Stadt leuchten lassen, aber „man sieht nur die im Lichte, die im Dunkeln sieht man nicht", wie Bertolt Brecht diese vielen mit Trost versorgt.

Aus der Perspektive der Entscheider genießen Goethe-Plakette und Ehren-Plakette gleich hohes Ansehen. Ihre herausragende Stellung in der städtischen Gesellschaft haben folgende Persönlichkeiten durch bewunderte Leistung begründet und gerechtfertigt:

1947 Gustav Mori, Buchdruckforscher; Dr. Franz Vollhard, Mediziner; Dr. Franz Schultz, Neuphilologe; Ehrenbürger Georg Hartmann, Fabrikant

1949 Adolf Grimme, Minister a. D.; Prof. Dr. Friedrich Meinecke, Historiker; Gerhard Marcks, Bildhauer; Robert M. Hutchins, Kanzler der Universität Chicago; Victor Gollancz, Schauspieler; André Gide, Schriftsteller; José Ortega Y Gasset, Schriftsteller; Dr. Carl Jacob Burckhardt, Kulturhistoriker

1951 Alexander Rudolf Hohlfeld, Prof. an der Madison-University Wisconsin; Dr. Friedrich Witz, Verlagsleiter; Prof. Dr. Ernst Robert Curtius, Autor; Prof. Leonhard A. Willoughby, Germanist; Prof. Dr. Jean Angelloz, Germanist; Prof. Dr. Friedrich Dessauer, Naturwissenschaftler; Dr. Richard Merton, Fabrikant; Prof. Dr. Boris Rajewsky, Universitätspräsident a. D.

1952 Prof. Dr. Ludwig Seitz, Mediziner; John J. McCloy, Hochkommissar; Dr. Bernhard Guttmann, Journalist und Schriftsteller

1953 Prof. Fritz Strich, Romantik-Forscher; Prof. Dr. Max Horkheimer, Direktor Institut für Sozialforschung

1954 Prof. Dr. Karl Kleist, Mediziner (Neuropsychiatrie); Rudolf Alexander Schröder, Schriftsteller; Dr. August de Bary, Stadtrat; Prof. Dr. Richard Scheibe, Lehrer der Städelschule

1955 Fritz von Unruh, Schriftsteller; Prof. Dr. Ferdinand Blum, Biologe; Prof. Dr. Hanns Wilhelm Eppelsheimer, Direktor der Deutschen Bibliothek; Paul Hindemith, Komponist; Dr. Andreas Bruno, Oberstudiendirektor

1956 Dr. h. c. Peter Suhrkamp, Verleger; Prof. Dr. Dr. h. c. Josef Hellauer, Wirtschaftswissenschaftler; Prof. Dr. Carl Mennicke, Sozialpädagoge; Prof. Dr. Paul Tillich, Philosoph

1957 Benno Reifenberg, Publizist; Kasimir Edschmid, Schriftsteller; Dr. Gottfried Bermann Fischer, Verleger; Prof. Helmut Walcha, Organist; Dr. Rudolph Pechel, Publizist

1958 Prof. Martin Buber, Schriftsteller; Dr. h. c. Otto Bartning, Architekt und Kirchenbauer; Prof. Dr. Helmut Coing, Universitätspräsident a. D.; Prof. Dr. Werner Bock, Schriftsteller; Prof. Dr. Friedrich Lehmann, Stadtkämmerer

1959 Mr. Thornton Wilder, Schriftsteller; Sir Sarvepalli Radhakrishnan, Indischer Vizepräsident; Jean Schlumberger, Schriftsteller; Yasunari Kawabata, Nobelpreisträger; Miss Dr. Cecily Veronica Wedgwood, Schriftstellerin; Prof. Dr. Dr. h. c. Hermann Nohl, Pädagoge

1960 Prof. Dr. Franz Böhm, Ordinarius Rechtswissenschaften; Dr. Dr. h. c. Alfred Petersen, Ehemaliger Präsident der IHK Frankfurt; Dr. Arthur Hübscher, Direktor Schopenhauer-Archiv

1961 Dr. Vittorio Klostermann, Verleger; Prof. Dr. Edgar Salin, Verleger

1963 Dr. Fried Lübbecke, Kunsthistoriker; Prof. Dr. Karl Winnacker, Naturwissenschaftler; Prof. Dr. Theodor W. Adorno, Philosoph

1964 Harry Buckwitz, Generalintendant

1965 Prof. Dr. h. c. Carl Orff, Komponist

1966 Marie Luise von Kaschnitz, Schriftstellerin; Dr. Heinrich Troeger, Vizepräsident der Deutschen Bundesbank; Prof. Dr. Ferdinand Hoff, Mediziner

1967 Carl Tesch, Direktor des Frankfurter Bundes für Volksbildung; Prof. Dr. Wilhelm Schäfer, Schriftsteller; Dr. h. c. Werner Bockelmann, Oberbürgermeister a. D.; Dr. Wilhelm Schöndube, Mediziner

1973 Professor Kurt Hessenberg, Komponist

1974 Dr. Waldemar Kramer, Verleger; Dr. Ljubomir Romansky, Dirigent

1976 Prof. Dr. Albert Richard Mohr, Autor; Arthur Joseph, Schriftsteller

1977 Dr. Siegfried Unseld, Verleger; Prof. Dr. Oswald von Nell-Breuning S. J., Jesuitenpater und Autor

1978 Dr. Paul Arnsberg, Autor

1979 Christoph von Dohnányi, Dirigent; Prof. Dr. Erich Fromm, Autor; Prof. Dr. Wulf Emmo Ankel, Zoologe

1980 Dr. h. c. Walter Hesselbach, Präsident der BFG; Horst Krüger, Schriftsteller; Prof. Dr. Fuat Sezgin, Orientalist; Dr. Rudolf Hirsch, Cheflektor

1981	Sir Georg Solti, Dirigent; Dr. Wilhelm Kempf, Bischof
1982	Prof. Dr. Bruno Vondenhoff, Generalmusikdirektor a. D.
1983	Prof. Dr. Harald Keller, Kunsthistoriker
1984	Prof. Dr. h. c. mult. Marcel Reich-Ranicki, Schriftsteller
1986	Prof. Dr. Alfred Grosser, Schriftsteller
1987	Dr. h. c. Joachim C. Fest, Autor
1988	Dr. Jörgen Schmidt-Voigt, Arzt und Mäzen
1989	Prof. Dr. Dolf Sternberger, Autor; Dorothea Loehr, Galeristin; Prof. Dr. Alfred Schmidt, Philosoph
1990	Eva Demski, Schriftstellerin; Hilmar Hoffmann, Autor
1991	Albert Mangelsdorff, Jazzmusiker
1992	Prof. Dr. Iring Fetscher, Autor; Prof. Dr. Willi Ziegler, Direktor Senckenbergmuseum
1994	Liesel Christ, Prinzipalin des Volkstheaters; Walter Weisbekker, Publizist; Prof. Dr. Ludwig von Friedeburg, Kultusminister a. D.
1995	Emil Mangelsdorff, Jazzmusiker; Heinrich Schirmbeck, Schriftsteller; Wolfram Schütte, Publizist
1996	Prof. Dr. Christiane Nüsslein-Volhard, Nobelpreisträgerin; Walter Boehlich, Schriftsteller
1997	Dr. Walter H. Pehle, Lektor; Prof. Hans Dieter Resch, Rektor der Musikhochschule
1998	Dr. Christoph Vitali, Ausstellungsmacher; Hans-Christoph von Oertzen, Grafik-Designer; Anja Lundholm, Schriftstellerin; Prof. Peter Weiermair, Kunsthallenleiter
1999	Dr. h. c. Arno Lustiger, Autor; Johann-Philipp Freiherr von Bethmann, Bankier
2000	Dr. Michael A. Gotthelf, Wirtschaftswissenschaftler; Dr. Karl Dedecius, Übersetzer
2001	Hans-Wolfgang Pfeifer, Verleger; Ernst Klee, Autor
2002	Prof. Oswald Mathias Ungers, Architekt; Prof. Dr. Dr. Horst-Eberhard Richter, Direktor Sigmund Freud Institut; Prof. Peter Eschberg, Intendant; Prof. Heiner Goebbels, Komponist
2003	Prof. Dr. Jean-Christophe Ammann, Museumsdirektor; Christa von Schnitzler, Malerin und Bildhauerin; Prof. Dipl.-

	Ing. Albert Speer, Städteplaner; Chlodwig Poth, Autor und Zeichner; Franz Mon, Schriftsteller
2004	Monika Schoeller von Holtzbrinck, Verlegerin; Ferry Ahrlé, Maler und Autor

Schon zwischen 1932 und 1944 hat die Stadt Frankfurt 44mal eine von Oberbürgermeister Ludwig Landmann initiierte Goethe-Plakette verliehen – 1932 noch in runder Fassung, danach mit geändertem Text viereckig mit Goethes Antlitz in scheußlichem Reliefdekor –, die entsprechende Liste wird jedoch verschämterweise von der Stadt nicht offiziell geführt, obwohl die meisten Namen sich durchaus sehen lassen können. Meine Auswahl beschränkt sich auf die wahrscheinlich bekanntesten Medaillenträger:

1932	Gerhart Hauptmann, Schriftsteller; Arthur von Weinberg, Geheimrat; Max Planck, Physiker; Thomas Mann, Schriftsteller; Baron Wilhelm von Gayl, Reichsinnenminister; Ernst Beutler, Direktor des Goethemuseums
1934/35	Hans Hinkel, Staatskommissar; William Butler Yeats, Schriftsteller; Hermann Stehr, Dichter
1936	Georg Kolbe, Bildhauer
1938	Leo Frobenius, Ethnologe; Hans Meissner, Generalintendant
1939	Hans Pfitzner, Komponist; Bernhard Rust, Reichsminister für Erziehung
1941	Walter Platzhoff, Rektor der Goethe-Universität
1943	Wilhelm Schäfer, Schriftsteller
1944	Otto Hahn, Physiker

Träger der Frankfurter Ehren-Plakette

Die Frankfurter Ehren-Plakette wurde erstmals 1954 verliehen; sie gilt im Vergleich mit der Goethe-Plakette als ebenbürtig. Ein Gutteil der Ordensflut gleich in den ersten beiden Jahren, als allein fünf Stadträte die Medaille erhielten, die über deren Vergabe schließlich entscheiden, scheint dem Qualitätsgebot zu widersprechen, zumal bei diesem ersten Medaillensegen auch noch ein Oberbürgermeister, ein Bürgermeister, ein Ministerpräsident, zwei Staatsminister und ein Oberpräsident den Anteil des pensionsberechtigten öffentlichen Dienstes weit überproportional vergrößert hatten. Bei Ordensverteilungen sollten Amtsbonus sowie Gesinnungsrabatte und Sympathiewerte des Ausstellers keine Rolle spielen.

Es kommt noch besser: Im Jahre 1964 werden allein zwölf Stadtverordnete im Selbstbedienungs-Dutzend des Parteienproporzes mit der Ehren-Plakette dekoriert. Da staunt der Laie über soviel selbstgefällige Inflationierung von Ehrenbezeugungen. Wurden im Jahre 1955 18 Personen mit der Ehren-Plakette ausgezeichnet, stieg die Zahl im Jahre 1958 auf 21 und im Jahre 1964 auf 29 Bürger und Bürgerinnen.

Inzwischen ist die Vergabe-Euphorie abgeflaut, und es wird nur noch höchstens bis zu fünfmal im Jahr in den Limpurgsaal im Römer zur schlichten Feier eingeladen. In den 50 Jahren ihrer Vergabe hat die Auszeichnung mit der Ehren-Plakette 436 Menschen glücklich gemacht.

Die Mehrzahl der Ausgezeichneten ließe sich als Funktionselite charakterisieren, sofern darunter das obere Segment einer offenen Stadtgesellschaft verstanden wird, das sich durch Bildung, berufliche Qualifikation, ehrenamtliches Engagement und soziale Verantwortung legitimiert hat. Insofern bilden Vielfalt und Einzigartigkeit keinen Widerspruch zum demokratischen Selbstverständnis.

Es spricht für die Lebendigkeit und den bürgerschaftlichen Geist Frankfurts, daß sich so viele ehrenwürdige Bürger in deren Mauern beheimaten und deren innere Gestalt mitprägen möchten. Sie repräsentieren zugleich einen qualitativen Querschnitt der Frankfurter Gesellschaft und sind immanenter Indikator für unbegrenzte Möglichkeiten dieser Metropole.

In der Liste auch der Ehrenmedaillenträger ist der disproportionale Anteil der Frauen unübersehbar:

1954 Oberbürgermeister a. D. Dr. Kurt Blaum; Direktor der Nassauischen Sparkasse Paul Müller; Bürgermeister Rudolf Menzer; Ministerpräsident a. D. Christian Stock; Generaldirektor Hermann Schlosser

1955 Handwerkskammerpräsident Willi Müller; DGB-Landesbezirksvorsitzender Hans Wiegand; Direktor der AG für kleine Wohnungen Heinrich Beck; Vorstand der Dechema Dr. Herbert Bretschneider; die Stadträte Fritz Pfeiffer, Walter Wieser, Max Kemper, Dr. Karl Rasor, Alois Brisbois; Bankier Carl Goetz; Oberbürgermeister a. D. Johannes Rebholz; Stadtverordneter Karl Klee; Bankier Hans Heinrich Hauck; Staatsminister a. D. Gottlob Binder; Direktor Hermann Freitag; Bezirksleiter der Gewerkschaft ÖTV Karl Meissner; Staatsminster a. D. Heinrich Zinnkann; Oberpräsident a. D. Theodor Stelzer

1956 Staatsminister a. D. Werner Hilpert; Prof. Dr.-Ing. Anton Gramberg; Prof. Dr. Georg Swarzenski, Direktor des Städel; Fabrikant Eugen Lacroix; Hermann Treuner; Chefredakteur Robert Mösinger; Hans Latscha; Dr. Alfred Lotichius; Karl Breul; Direktor Rudolf Herbst; Stadtverordneten-Vorsteher Edwin Höcher; Prof. Dr. Wilhelm Polligkeit; Bürgermeister a. D. Dr. Walter Leiske; Vorsitzender der IG Bau, Steine, Erden Jakob Knöss; Prof. Dr. Heinrich Flörcken; Prof. Dr. Friedrich Dessauer; Max Meyer; Otto Misbach; Dr. Arthur Georgi; Senator E. h. Carl Lehner; Stadtrat Dr. Hellmut Reinert

1957 Stadtkämmerer Dr. Georg Klinger; Stadtrat a. D. Hermann Salomon; Stadtrat a. D. Bruno Müller; Präsident des Landesarbeitsamtes a. D. Heinrich Sauer; Stadträtin Elli Horeni; Kultusminister a. D. Dr. Franz Schramm; Konsul Fritz J. Dietz;

Stadtrat a. D. Bernhard Bär; Direktor Josef Auth; Fabrikant Adolf Schindling; Else von Meister; Bundesminister a. D. Rechtsanwalt Dr. jur. Hans Wilhelmi; ehem. Präsident der Automobilindustrie Max Thoennissen; Bundestagsabgeordneter Georg Stierle; Dr. Walter Sondag

1958 Direktor der Universitäts-Kliniken Prof. Dr. Dr. Oscar Gans; Prof. Dr. Julius Wagner; Direktor der Landesversicherungsanstalt Hessen Heinrich Kraft; Leiter der Ärztekammer Hessen Dr. Franz Mündel; Vorsitzender des Vorstandes der AEG Dr. Hans C. Boden; Stellv. Vorsitzender des Vorstandes der AEG Dr. E. h. Heinz Thörner; Mitglied des Vorstandes der DEGUSSA Robert Ludwig Hirtes; Direktor der Chirurgischen Klinik des Krankenhauses Höchst Prof. Dr. Max Flesch-Thebesius; Stadtrat Dr. Rudolf Prestel; Aufsichtsratvorsitzender der Sarotti-Werke Generalkonsul Hans Riggenbach; Vorsitzender des Landesverbandes Hessen der Kriegbeschädigten Abraham Sauer; Zoodirektor Prof. Dr. Bernhard Grzimek; Oberstudiendirektor Dr. Lorenz Ernst; Stadtrat Heinrich Kromer

1959 Prof. Dr. Karl Kleist; Oberstadtdirektor Dr. Bernhard Heun; Aufsichtsratvorsitzender der Frankfurter Bank Richard v. Szilvinyi; Stadtrat Dr. Karl Altheim; Direktor Hochschule für Internationale Pädagogische Forschung Prof. Erich Hylla; Vorsitzender des Deutschen Gewerkschaftsbundes Willi Richter; Prof. Dr. Dr. Albert Hahn; Journalist Aloys Kern; Konsul Hermann Deninger; Prof. Franz Karl Delavilla; Oberregierungsrat a. D. Hugo Dornheim; Prof. Dr. Dr. h. c. Heinrich Hoeninger

1960 Stadtpfarrer Prälat Alois Eckert; Prof. Dr. Dr. h. c. mult. Georg Hohmann; Dr. Jakob Flesch; Prof. Dr. Walter Alwens; Kreisausschußvorsitzender des DGB Karl Pieper; Schauspieldirektor i. R. Richard Weichert; Geschäftsführer Richard Tesch; Stadtrat a. D. Jakob Kriegseis; Ehrenvorsitzender der Vereinigung der Hessischen Arbeitgeberverbände Dr. Theodor Gaertner; Generalkonsul Dr. Joseph E. Juttel; Prof. Dr.

Hans Muthesius; Obermedizinalrat i. R. Dr. Hans Joachim Tholuck; Stadtrat Nikolaus Maurer; Stadtverordneter Konrad Neudeck; Stadtverordneter Karl Rottmann

1961 Rektor i. R. Konrad Hoenen; Stadtrat Prof. Dr. Theodor Gläss; Direktor der 1. Med. Universitätsklinik Prof. Dr. Ferdinand Hoff; Generalmusikdirektor Sir Georg Solti; Stadtrat Dr. Wilhelm Fay; Probst für Frankfurt Pfarrer Karl Goebels

1962 Dr. Wilhelm Schöndube; Schauspielerin Anny Hannewald; Schauspieler Karl Luley; Direktor der GEWOBAG Reinhold Tarnow; Vors. d. Verb. der Deut. Rauchw. und Pelzwirtschaft Dr. Otto Nauen; Oberstudiendirektor i. R. Leo Klöckner; Baumeister Martin Milch, Vizepräsident d. Handwerkskammer; Journalist Rudi Eims; Bankier Dr. August Oswalt; Stadtrat Dr. Hans Kampffmeyer; Präsident i. R. Dr. Hanns Jess; Direktor Bund für Volksbildung Carl Tesch; Direktor Dipl.-Ing. Georg Aigner; Dr. Dr. E. h., Philipp Siedler; Magistratsoberschulrat a. D. Heinrich Schüssler; Landgerichtspräsident Johannes Becker

1963 Präsident der Oberpostdirektion Dr. Ludwig Kämmerer; Universitäts-Baudirektor Dipl.-Ing. Ferdinand Kramer; Dr. Felix Weil; Obermagistratsdirektor i. R. Adolf Kohl; Stadtrat Hans Albrecht; Stadtrat Dr. Bodo Helmholz; Vorsitzender des Vorstandes der Konsumgenossenschaft Main-Taunus Erich Wiefel; Präsident der Niederländisch-Deutschen Handelskammer Marcel Jacobus; Kreishandwerksmeister Fritz Leonhard; Stadtverordneter Direktor Christian Weiss; Obermagistratsdirektor i. R. Willi Emrich; Präsident der Deutschen Genossenschaftskasse Dr. h. c. Rudolf Hartmann; Galeristin Hanna Bekker vom Rath; 1. Präsident der Deutschen Bundesbahn Prof. Dr. Heinz Maria; Landesrabbiner Dr. I. E. Lichtigfeld; Architekt/BDA Ernst Balser; 1. Vorsitzender des Deutschen Schädlingsbekämpfer-Verbandes Wilhelm Hoos; Präsident des Bundesgesundheitsamtes a. D. Dr. Wilhelm Hagen; ehem. Resident Officer Harald P. Radigan

1964 Direktor i. R. der Vogelschutzwarte Sebastian Pfeifer; Prof.

Dr. Jörg Zutt; Direktor der Nervenklinik Prof. Dr. Rudolf Thiel; Rechtsanwalt und Notar Max L. Cahn; Kammersänger Jean Stern; Archivsdirektor i. R. Dr. Dr. h. c. Hermann Meinert; Oberstudiendirektor i. R. Hermann Pinnow; Obermagistratsdirektor i. R. Wilhelm Dörflein; Bankier Adolf Melber; Intendant des Hessischen Rundfunks Werner Hess; Prof. Dr. Dr. Willibald Diemair, Städt. Lebensmitteluntersuchungsamt; Pfarrer Arthur Zickmann; Dr. Charlotte Mahler, Chefärztin der Chirurg. Klinik des Bürgerhospitals; die Stadtverordneten Betty Arndt, Ludwig Jost, Martha Breiter, Martha Laarmann, Anne Bringezu, Heinrich Heuzeroth, Bert Kutschera, Karl Dettinger, Jean Ress, Annemarie Schlordt, Ernst Schröder; die Stadträte Albert Buschang, Karl Blum, Dr. Erich Zeitz; ehem. Direktor des Forschungsinstituts Senckenberg Prof. Dr. Mertens; Direktor Staatl. Hochschule für bildende Künste Prof. Ferdinand Lammeyer

1965 Stadtrat Dr. Hans Loskant; Polizeivizepräsident Dr. Ludwig Florian; Stadtrat Walter Hesselbach; Direktor Frankfurter Aufbau A. G. Heinrich Schütz; Präsident der Bundesbahndirektion Dr. Wilhelm Unverzagt; Direktor Landesversicherungsanstalt Heinrich Lünendonk; Stadtverordneter Ludwig Gehm; Vorstandmitglied der Frankfurter Bank Dr. Hermann Jannsen; Leiterin des Seminars für Politik Ulla Illing; Stadtrat Dr. Karl vom Rath; Richard Kirn, Redakteur der „Frankfurter Neuen Presse“; Dr. Otto Wilhelm Lürmann; Prof. Dr. phil. Adolf E. Jensen, Direktor des städt. Museums für Völkerkunde; Dr. Manfred Wend, Geschäftsführer der Gemeinnützigen Gesellschaft für Wohnheime; Erich Kurz, Ehrenpräsident des Verbandes für Köche Deutschlands; Dr. Fritz Kolb, Geschäftsführer des Verbandes der Köche Deutschlands e. V.; Direktor der Stadtsparkasse Walter Quade; Arnold Thun, Vorsitzender des Vereins „Freunde der Kirchenmusik“; Dr. Friedrich Freiwald

1966 Architekt Prof. Franz Schuster; Architekt Walter Schwagenscheidt; Direktor der allgemeinen Ortskrankenkasse Walter

Kattler; Stadtrat Heinrich Ditter; Sportredakteur der „Frankfurter Rundschau“ Erich Wick; Prof. Dr. Ludwig Neundörfer; Dipl.-Ing. Gerd Fries; Stadtmedizinalrat i. R. Dr. Walter Fürstenheim; Präsident der Landeszentralbank in Hessen Leopold W. Bröker; Vizepräsident des Landesarbeitsgerichts Hermann Kauffmann; Stadtbaurat a. D. Prof. Dr. E. h. Dr. h. c. Ernst May; Städeldirektor Prof. Dr. Ernst Holzinger; stellv. Vorsitzender des Vorstandes der Bank für Gemeinwirtschaft Gerhard Neuenkirchen; Stadtverordneter Ernst Alfred Ihle; Herausgeber der „Frankfurter Rundschau“ Karl Gerold; Stadtverordneter Fritz Lang: Stadtverordneter Karl Zibner; Geschäftsführer der „Nassauisches Heim“ Franz Kessler; Bankier Hermann J. Abs; Präsident der Schopenhauer-Gesellschaft Dr. Arthur Hübscher; ehem. Vorsitzender des Bürgerrats Adolf Leweke, Geschäftsführer der Handwerkskammer Frankfurt Dr. Max Kaiser; Geschäftsführer der Mavest-Wohnungsbaugesellschaft Friedrich Wilhelm Bossert; Musikalischer Leiter der Frankfurter Singakademie Dr. Ljubomir Romansky

1967 Claire Holz (Dichtername Athena Eo); die Stadtverordneten Erhard Klein, Karl Engel, Albert Knorr; Studienrätin a. D. Elisabeth Norgall; Stadtbezirksvorsteher Hugo Castritius; Geschäftsführer der Kreisverwaltung Frankfurt der Gewerkschaft Öffentliche Dienste, Transport und Verkehr Fritz König; FAZ-Herausgeber Dr. h. c. Benno Reifenberg; Präsident des Hessischen Einzelhandels Karl Beilharz; Wilfried Braun, Vorsitzender des Vorstandes der Hartmann & Braun A. G.

1968 Stadtverordnete Lissy Alfhart; Prof. Dr. Dr. h. c. Erich Pietsch, Gmelin-Institut für anorganische Chemie; Verleger Umschau-Verlag Wilhelm Breidenstein; Direktor der Messe Frankfurt Herbert Wittrock; Herausgeber der „Frankfurter Neuen Presse“ Werner Wirthle; Palmengarten-Direktor a. D. Dr. h. c. Fritz Encke; Vorsitzender des Vorstandes der Farbwerke Hoechst Prof. Dr.-Ing. Karl Winnacker; Vorsitzender des Landesverbandes Hessen des Gemüse-, Obst- und Gartenbaus Wilhelm Wollrab

1969 Verleger Dr. Waldemar Kramer; Bankier Albert von Metzler; Techn. Geschäftsführer der Neuen Heimat Gemein. Wohnungs- und Siedlungsbaugesellschaft Peter Emmel; Prof. Dr. Friedrich Pollock; stellv. Vorsitzender des Deutschen Vereins für Fürsorge Prof. Dr. Hans Achinger; Generalkonsul Bruno H. Schubert; Präsident der Deutschen Bundesbank Karl Blessing

1970 Alfred Grade, Buchhändler; die Stadtverordneten Hermann Günke, Hermann Sautner, Otto Wüschel, Dipl.-Kaufm. Adalbert Schwarz, Paul Stein, Gerhard Weck, Wilhelm Wiedemann; ehrenamtl. Stadtrat Heinz-Herbert Karry; Prof. Louis Zilliox; Heinz Osterwind, Mitglied des Vorstandes der Deutschen Bank AG; Dr. Dr. h. c. Georg Draheim, Präsident der Deutschen Genossenschaftskasse; Elly Schwedtke, ehem. Oberin der Diakonissenanstalt; Ernst Hess, Präsident a. D. der Bundesbahndirektion; Dr. Waltraut Boss, ehrenamtl. Stadträtin; Dipl.-Kaufm. Rudolf Leuchs, Direktor der A. G. für kleine Wohnungen; Prof. Dr. Herbert Junghanns, Chefarzt des Berufsgenossenschaftlichen Unfallkrankenhauses; Fritz Rémond, Direktor Theater im Zoo

1971 Emmy Beetz, Chefsekretärin des Oberbürgermeisters; Karl Linker, Ehrenpräsident des Großen Rates der Frankfurter Karnelvalsvereine; die Stadtverordneten Wolfgang Mischnick, Annemarie Harring und Ernst Gerhardt; Dr. Wilhelm Conrad, Staatsminister a. D.; Gershon Canaan, Deutscher Konsul in Texas

1972 Pfarrer Ernst Klöss, Schriftsteller; Prof. Dr. Albert Richard Mohr; Dr. Dr. Armin Rosenkranz; Direktor Hans Potthast; Direktor Rudi Löwe

1973 Pfarrer Ernst Schäfer, Vors. des Evangelischen Regionalverbandes; Dr. Karl Stöcker, ehem. Hauptgeschäftsführer der Handwerkskammer; Geistl. Rat. Pfarrer i. R. Andreas Nikolai; Dr. Dipl.-Ing. Felix-Alexander Prentzel, Vorstandsvorsitzender der DEGUSSA; Philipp Pleß, Landtagsabgeordneter

1974 Heinz Güttel, 1. Vorsitzender der Deutschen Verkehrswacht;

Fred Benend, Vorsitzender der Kultur- u. Theatergemeinde Frankfurt; Dr. August Rebsamen, Schweizer Generalkonsul; Dr. Friedrich Wehner, Präsident des Landesarbeitsamtes Hessen; Siegfried Taubert, Direktor der Buchmesse des Börsenvereins des Deutschen Buchhandels

1975 Erwin Stauß, Hauptgeschäftsführer des Deutschen Paritätischen Wohlfahrtsverbandes; Dr. Paul Arnsberg, Schriftsteller; Richard Daub, Journalist; Else Knott, Schauspielerin; Hans Eick, Stadtrat

1976 Dr. Helga Einsele, ehem. Leiterin der Justizvollzugsanstalt für Frauen; Helmut Goedeckemeyer, Stifter; Richard Hackenberg, ehem. MdL; Ernst Leuninger, Direktor der LVA Hessen; Hans Stahl, Geschäftsführer des Großen Rates der Frankfurter Karnevalsvereine

1977 Stadtdekan Monsignore Walter Adloch; Stadtverordnete Ilse-Monika Fantasny, Bernhard Gresser; Alois Hilbert, Oberstudiendirektor; Paul Ungerer, Vorsitzender des Vorstandes der DEGUSSA

1978 Dr. Käthe Petersen, Vors. des Vereins für öffentl. und private Fürsorge; Julius Hembus, Geschäftsführer d. Fa. Julius Hembus; Alois Giefer, Architekt; Prof. Dr. Philipp Mohler, Komponist; Pfarrer Karl Pehl, Telefonseelsorge

1979 Dr. Eric W. Stoetzner; Erhard Bouillon, Vorstandsmitglied der Hoechst AG; Rudolf Sperner, 1. Vorsitzender der Industriegewerkschaft Bau, Steine, Erden; Helmut Steinbach, Dirigent des Orchesters der Philharmonischen Gesellschaft; Dr. Rudolf Schäfer, Vorsitzender des Vereins für Geschichte und Altertumskunde Frankfurt-Höchst

1980 Prof. Dr. Edgar Ungeheuer, Direktor der Chirurgischen Klinik Nordwest; Prof. Dr. Rudolf Sammet, Vorsitzender des Vorstandes der Hoechst AG; Pfarrer August Thielemann, Geistlicher Rat; Francisque Collomb, Oberbürgermeister von Lyon; Direktor Carl Theodor Steidle; Otto Bieger; Bert Merz, Sportjournalist

1981 Heinrich Cobet, Buchhändler; Konrad Trapp; Prof. Dr. Erich

Welter, Mitherausgeber der FAZ; Liselotte Hulverscheidt, 1. Vors. des Deutschen Kinderschutzbundes; Prof. Dr. Georg Kurt Schauer; Dr. Wolfgang Bechtholdt, Präsident der Landesärztekammer Hessen

1982 Finn B. Larsen, Direktor der VARIG; Walter Binder, Direktor der Aufbau AG; Ulrich von Pufendorf, Vors. Der Wirtschaftspolitischen Gesellschaft; Dieter Berndt, Vors. des Kuratoriums Kulturelles Frankfurt; Kurt Bechthold

1983 Alois Normann, Pfarrer; Rolf Brand, Betriebsratsvorsitzender der Hoechst AG; Dr. Hans Messer, Präsident der Industrie- und Handelskammer; Hans Wolfgang Pfeifer, Vorsitzender der Geschäftsführung der FAZ; Dr. Gusti Gebhardt, ehem. Leiterin des Familienbildungswerkes der kath. Kirche

1984 Bürgermeister Henry Hatrel; Maler Ferry Ahrlé; Senator Dr. Franz Schmidt-Kantz; Prosper Graf zu Castell-Castell; Dr. Herbert Lürmann

1985 Heinz Bickerle; Stadtverordneter Walter Hippmann; Kirchenpräsident i. R. D. Helmut Hild; Peter Lennig, erster Leiter des Zweigbetriebes Praunheim der Praunheimer Werkstätten; Prof. Dr. Heinz Contzen, ärztlicher Direktor der Berufsgenossenschaftlichen Unfallklinik; Hans Weidenfeld, 1. Vors. des Vereins „Freunde und Förderer des Chorgesangs"; Eugen Loderer, ehem. Vorsitzender der IG Metall

1986 Oberbürgermeister von Tel Aviv Shlomo Lahat; FAZ-Ressortleiter Erich Helmensdorfer; Intendant des Hessischen Rundfunks Prof. Dr. Hartwig Kelm; Verlegerin Monika Schoeller von Holtzbrinck; Georg Schreiber

1987 Dr. Gerhard Löwenstein; Rudolf Joppen; Dr. Hanns Christian Schroeder-Hohenwarth; Karl-Heinz Huthmacher

1988 Propst Dr. Dieter Trautwein; Dr. h. c. Josef Neckermann, Vors. der Stiftung Deutsche Sporthilfe; Dr. h. c. Karl Otto Pöhl, Präsident der Deutschen Bundesbank; Werner Holzer, Chefredakteur der Frankfurter Rundschau; Dr. Frolinde Balser, ehem. Stadtverordnetenvorsteherin; Liesel Christ, Leiterin des Frankfurter Volkstheaters e. V.

1989 Keyvan Dahesch, Journalist; Walter Tröger, Generalsekretär des NOK; Jürg Schäfer, alternierender Vorsitzender des Vorstandes der AOK für Frankfurt am Main und Umgebung; Rudi Arndt, Oberbürgermeister a. D.; Otto Rumeleit, Vorsitzender des Vorstandes der Vereinigung der Apfelweinkeltereien

1990 Gottfried Michelmann, Vorsitzender der Frankfurter Museumsgesellschaft; Jürgen Thorer, Ehrenpräsident des Verbandes der Deutschen Rauchwaren- und Pelzwirtschaft; Valentin Senger, Schriftsteller; Ludwig Brauser, Leiter der Frankfurter Schule für Mode und Bekleidung; Dr. Margarete Mitscherlich-Nielsen, Ärztin und Psychoanalytikerin

1991 Dr. Gert Becker, Vorstandvorsitzender DEGUSSA; Siegfried Manke, ehem. Leiter des Frankfurter Polizeichors; Kurt Sigel, Schriftsteller und Maler; Dr. Fritz Braumann, Vorsitzender der Bezirksstelle Frankfurt der Kassenärztlichen Vereinigung; Dr. Johannes Petschull, C. F. Peters Musikverlag

1992 Dr. Gustav Schoser, Leiter des Frankfurter Palmengartens; Annaliese Ohlert, Oberin i. R. des Frankfurter Diakonissenhauses; Prof. Dr. Bernhard Komhuber; Renate Grossbach, Bürgerinitiative Höchst; Ignatz Bubis, Vors. des Direktoriums des Zentralrates der Juden in Deutschland

1993 Hermann Moos; Trude Simonsohn, Jüdische Gemeinderätin; Prof. Dr. Otto Rudolf Kissel, Vors. Bundesarbeitsgericht; Alois Ammerschläger, Kaufmann; Prof. Dr. Pinchas Lapide

1994 Alexander Rasor, Rechtsanwalt und Notar; Dr. Wilfried Guth, Vors. des Vorstands Deutsche Bank; Dr. h. c. Dieter W. F. Hofmann; Frau Ülkü Schneider-Gürkan; Joachim Schwarzkopf, Rechtsanwalt

1995 Stadtrat a. D. Horst Abt, ehem. Präsident der Handwerkskammer Rhein-Main; Prof. Dr. Ute Herhard; Stadtdekan Klaus Greef; Gerhard Junior, Kaufmann; Dr. Alfred Mauritz, Vorstandsvorsitzender der Binding AG

1996 Gerhard Kurtze, Vors. des Börsenvereins des Deutschen Buchhandels; Jutta W. Thomasius, Journalistin; Artur Pöhlmann, Stadtverordneter; Pater Amandus Hasselbach; Prof. Dr. Eilke Brigitte Helm, Ärztin

1997 Peter Weidhaas, Leiter der Buchmesse; Claus Helmer, Intendant des Zootheaters; Erwin Dolle; Ruth Dörrbecker; Christa Vogt

1998 Bankier Michael Hauck; Mile Braach; Bassist Manfred Schenk; Albert Bank; Ruth Schwarz

1999 Hella Schmieder; Dr. Hans Schleussner, Vors. Freunde des Städel; Prof. Carmen Renate Köper, Schauspielerin; Lothar Vetter, FR-Journalist; Ilse Vaupel, ehrenamtl. Stadträtin

2000 Prof. h. c. Alois Kottmann, Musiker; Wolfgang Steubing; Werner Helmbold; Freifrau Bettina Bethmann; Margareta Dillinger

2001 Dr. Frank Niethammer, Ehrenpräsident der Industrie- und Handelskammer; Karl Rarichs; Dr. Rüdiger Volhard, Rechtsanwalt und Notar; Hans Pleitgen, Stadtverordneter a. D.; Ilse Bechthold

2002 Dr. Karl Brozik; Barbara von Metzler, Teilhaberin der Metzler-Bank; Hilde Hoffmann; Dieter Schwarz; Frank P. Sauerlaender, Filmsammler

2003 Dipl. Ing. Teuto Rocholl; Dr. Peter W. Schlüter; Dr. Willem F. Duisenberg, Präsident der Europäischen Zentralbank; Carlo Bohländer; Erhard Koczorek

2004 Wolfgang Kaus, Intendant des Volkstheaters; Werner Wunderlich; Carlo Giersch, Museumsstifter; Dr. Hans-Jürgen Moog, Bürgermeister a. D.; Bruder Wendelin Gerigk

Träger des Goethe-Preises

Der heute mit 50 000 Euro dotierte Goethe-Preis gilt als eine der höchsten literarischen Auszeichnungen in Deutschland.

Der Preis wurde vom Direktor des Freien Deutschen Hochstifts Ernst Beutler angeregt, die Idee von Oberbürgermeister Ludwig Landmann aufgegriffen. Dessen Magistrat hat 1926 die Verleihung des Goethe-Preises mit einem Preisgeld in Höhe von 10 000 Reichsmark beschlossen, die seit 1952 im dreijährigen Turnus in der Paulskirche vorgenommen wurde. Die Satzung von 1927, die die Jury der autonomen Entscheidungsfreiheit versicherte, wurde pünktlich mit der Machtergreifung der Nationalsozialisten 1933 obsolet, der Sekretär der Jury, der Schriftsteller Alfons Paquet, prompt entlassen.

Der braune Magistrat bestimmte fortan nach dem sogenannten „Führerprinzip" den Oberbürgermeister als für die Auswahl des Preisträgers allein entscheidende Instanz. Dessen Entscheidung bedurfte allerdings jeweils der Absegnung durch das Propaganda-Ministerium. Entsprechend konsequent hat Joseph Goebbels der geplanten Ehrung von Max Planck im Jahre 1943 sein Plazet verweigert.

Nach dem Kriege wurde 1947 wieder eine demokratische Satzung erlassen, die der Jury die autonome Entscheidungskompetenz garantiert. In der Jury sitzen überproportional viele „gesetzte" Positionen (sechs) den jeweils aus dem kulturellen Leben hinzugewählten Jurymitgliedern (drei) gegenüber.

Die Satzung aus dem Jahre 1947 beinhaltet die folgenden prosaischen Paragraphen, die jedweder qualitativer Kriterien für die Würdigung einer kulturellen Lebensleistung entbehren:

1) Über die Verleihung des Goethepreises entscheidet auf Vorschlag des Kuratoriums der Magistrat.
2) Das Kuratorium zur Verleihung des Goethepreises der Stadt Frankfurt am Main setzt sich zusammen aus
   a) dem Oberbürgermeister als dem Vorsitzenden
   b) dem Vorsteher der Stadtverordnetenversammlung

c) dem Kulturdezernenten
d) dem Direktor des Freien Deutschen Hochstifts
e) dem Kultusminister des Landes Hessen
f) dem jeweils amtierenden Präsidenten der Johann Wolfgang Goethe-Universität
g) einem Vertreter der deutschsprachigen Schriftsteller
h) einem Vertreter der deutschsprachigen Dichter
i) einer weiteren Persönlichkeit des kulturellen Lebens.

3) Das Kuratorium beschließt mit einfacher Stimmmehrheit.

Die Liste der Goethe-Preis-Träger kann sich sehen lassen. Sie bestätigt Schillers als Frage formulierte Erfahrung, daß das Funktionieren eines Staatswesens, in dem zu leben sich lohnte, nicht aus der Herrschaftsperspektive definiert wird, sondern aus der Substanz seiner schöpferischen Kräfte: „Durch was sonst ist ein Staat groß und ehrwürdig, als durch die Kräfte seiner Individuen?"

Zwischen 1927 und 2004 erhielten folgende vierzig Persönlichkeiten den begehrten Goethe-Preis:

1927 Stefan George, Dichter
1928 Albert Schweitzer, Arzt und Philosoph
1929 Leopold Ziegler, Philosoph
1930 Sigmund Freud, Psychoanalytiker
1931 Ricarda Huch, Dichterin
1932 Gerhart Hauptmann, Dichter
1933 Hermann Stehr, Schriftsteller
1934 Hans Pfitzner, Komponist
1935 Hermann Stegemann, Dichter
1936 Georg Kolbe, Bildhauer
1937 Guido Kolbenheyer, Dichter
1938 Hans Carossa, Dichter
1939 Carl Bosch, Chemiker
1940 Agnes Miegel, Dichterin
1941 Wilhelm Schäfer, Dichter
1942 Richard Kuhn, Chemiker

1945 Max Planck, Physiker
1946 Hermann Hesse, Schriftsteller
1947 Karl Jaspers, Philosoph
1948 Fritz von Unruh, Dichter
1949 Thomas Mann, Schriftsteller
1952 Carl Zuckmayer, Schriftsteller
1955 Annette Kolb, Schriftstellerin
1958 Carl Friedrich Freiherr von Weizsäcker, Philosoph
1960 Ernst Rudolf Beutler, Autor und Herausgeber
1961 Walter Gropius, Architekt
1964 Benno Reifenberg, Schriftsteller und Publizist
1967 Carlo Schmid, Schriftsteller und Politiker
1970 Georg Lukács, Literaturwissenschaftler
1973 Arno Schmidt, Schriftsteller
1976 Ingmar Bergman, Filmemacher
1979 Raymond Aron, Soziologe
1982 Ernst Jünger, Schriftsteller
1985 Golo Mann, Schriftsteller
1988 Peter Stein, Theaterregisseur
1991 Wislawa Szymborska, Lyrikerin
1994 Sir Ernst H. Gombrich, Kunsthistoriker
1997 Hans Zender, Dirigent und Komponist
2001 Siegfried Lenz, Schriftsteller
2002 Marcel Reich-Ranicki, Literaturkritiker und Schriftsteller

Träger des Theodor-W.-Adorno-Preises

Die Verleihung des Goethe-Preises von 1976 an den schwedischen Filmregisseur Ingmar Bergman hatte nicht nur in einigen großen Feuilletons gehörigen Rumor erzeugt, mit heftigen Protesten machten sich auch Bildungsbürger in Leserbriefen Luft. Ein Filmemacher in einer Reihe mit Gerhart Hauptmann, Hermann Hesse, Thomas Mann oder Arno Schmidt, vor solchem Sakrileg sträubten sich auch die Haare der Germanistenzunft. Also sann das Kulturdezernat auf Alternativen, die es künftig ermöglichen sollten, auch „hervorragende Leistungen auf dem Gebiet der Soziologie und Philosophie, der Musik, des Theaters und des Films auszuzeichnen".

Das Werk, das dieses breite Spektrum am glaubwürdigsten abdeckt, war das geistige Universum Theodor W. Adornos. Entsprechend hat der Magistrat 1977 zugestimmt, einen Theodor-W.-Adorno-Preis zu stiften.

Da der sich immer weiter ausdifferenzierende Bereich der Bildenden Künste – also Malerei, Graphik, Bildhauerei, Architektur und Videokunst – unter dem Dach des Adorno-Preises hätte unberücksichtigt bleiben müssen, wurde im gleichen Jahr auch der Max-Beckmann-Preis ins Leben gerufen.

Wie der Goethe-Preis sind auch der Adorno-Preis und der Beckmann-Preis mit einer Preissumme in Höhe von 50 000 Euro ausgestattet. Sie werden in einem Dreijahresrhythmus durch das Stadtoberhaupt vergeben.

In der Satzung des Theodor-W.-Adorno-Preises heißt es:

Die Stadtverordnetenversammlung beschloß am 29. Januar 1976 auf Antrag des Dezernats Kultur und Freizeit die Satzung für die Verleihung des Theodor-W.-Adorno-Preises. Der Preis ist mit 50 000 Euro dotiert und wird jeweils alle drei Jahre verliehen.

Präambel

Der Philosoph und Kunstkritiker Theodor W. Adorno, der zwanzig Jahre an der Johann-Wolfgang-Goethe-Universität in Frankfurt am Main lehrte, gilt zusammen mit Max Horkheimer als Begründer der berühmten Frankfurter Schule. Als langjähriger Direktor des Instituts für Sozialforschung hat Adorno entscheidende Akzente für die kritische Beurteilung der künstlerischen Medien Musik, Literatur, Theater und Film gesetzt. Mit seinem Namen verbindet sich die Vorstellung von liberalem, aufklärerischem Geist, der für die Neubewertung ästhetischer Phänomene die entscheidenden Grundlagen geschaffen hat.

Die Verleihung des Theodor-W.-Adorno-Preises dient der Förderung und Anerkennung hervorragender Leistungen in den Bereichen der Philosophie, Musik, Theater und Film.

Zur Vorbereitung der Preisverleihung wird ein Kuratorium gebildet:

1. der Oberbürgermeister als Vorsitzender,
2. der Vorsteher der Stadtverordnetenversammlung,
3. der Vorsitzende des Kulturausschusses,
4. der Kulturdezernent,
5. der geschäftsführende Direktor des Instituts für Sozialforschung,
6. der Direktor des Sigmund-Freud-Institutes,
7. ein Soziologe,
8. ein Philosoph,
9. ein Schriftsteller,
10. ein Kritiker.

Den Theodor-W.-Adorno-Preis erhielten:

1977 Norbert Elias, Soziologe und Philosoph
1980 Jürgen Habermas, Soziologe und Philosoph
1983 Günther Anders, Schriftsteller
1986 Michael Gielen, Dirigent und Komponist
1989 Leo Löwenthal, Literaturwissenschaftler und Soziologe

1992 Pierre Boulez, Dirigent und Komponist
1995 Jean-Luc Godard, Filmregisseur
1998 Zygmunt Baumann, Soziologe
2001 Jacques Derrida, Philosoph
2003 György Ligeti, Komponist

Träger des Max-Beckmann-Preises

Wie der Theodor-W.-Adorno-Preis am 29. Januar 1976 beschlossen und mit 50 000 Euro dotiert, wird der Max-Beckmann-Preis der Stadt Frankfurt seit 1978 jeweils alle drei Jahre verliehen. In der Satzung heißt es:

Max Beckmann, der von 1925 bis 1933 als Künstler und Lehrer an der Städelschule gearbeitet hat, gehört zu den bedeutendsten Malern der ersten Hälfte des 20. Jahrhunderts. Mit visionärer Kraft gestaltete er in seiner Malerei und Graphik die Bedrohungen und Ängste seiner Epoche. Max Beckmann ist der wichtigste Vertreter des deutschen Expressionismus. Viele seiner Hauptwerke sind während seiner Frankfurter Zeit entstanden.

Die Verleihung des Max-Beckmann-Preises dient der Förderung und Anerkennung hervorragender Leistungen in den Bereichen der Malerei, Graphik, Bildhauerei und Architektur.

Zur Vorbereitung der Preisverleihung wird ein Kuratorium gebildet:

1. der Oberbürgermeister als Vorsitzender,
2. der Vorsteher der Stadtverordnetenversammlung,
3. der Vorsitzende des Kulturausschusses,
4. der Kulturdezernent,
5. der Direktor des Städelschen Kunstinstitutes,
6. der Direktor des Frankfurter Kunstvereins,
7. ein Maler und Graphiker,
8. ein Bildhauer,
9. ein Architekt.

Der Max-Beckmann-Preis wurde erstmals dem Maler Richard Oelze aus der Lüneburger Heide verliehen. Ursprünglich hatte sich die Jury für Francis Bacon in London entschieden. Dieser hatte jedoch mit der Begründung abgelehnt, für Ehrungen nicht empfänglich zu sein, er habe sogar der Königin von England einen Korb gegeben, als diese ihn mit dem Hosenbandorden habe „diskriminieren“ wollen. Die Liste der Preisträger seit 1978 ist dennoch international besetzt:

1978	Richard Oelze, Maler
1981	Arnulf Rainer, Maler
1984	Willem de Kooning, Maler
1987	Erwin Heerich, Walter Pichler
1990	Bruce Naumann, Videokünstler
1993	Ilya Kabakov, Maler und Multimediakünstler
1996	Jacques Herzog, Pierre de Meuron
1999	Harald Szeemann, Austellungsmacher
2004	Maria Lassnig, Malerin

Träger des Ignatz-Bubis-Preises

Mit der Verleihung eines „Ignatz-Bubis-Preises für Verständigung“ ehrt die Stadt Frankfurt am Main das Lebenswerk und die Persönlichkeit von Ignatz Bubis, dem langjährigen Vorsitzenden der Jüdischen Gemeinde Frankfurts und des Zentralrats der Juden in Deutschland. „Die Ehrung ist darüber hinaus Ausdruck der Verpflichtung, für die von Ignatz Bubis verkörperten Werte einzutreten“, schreibt sich die Stadt in der Satzung des Preises selbst ins Stammbuch. Dort heißt es weiter:

1. Die Stadt Frankfurt verleiht den Ignatz-Bubis-Preis für Verständigung an eine Persönlichkeit oder Organisation, deren öffentliches Wirken in hervorragender Weise im Sinne der von Ignatz Bubis verkörperten Werte gekennzeichnet ist.
2. Der Ignatz-Bubis-Preis für Verständigung wird alle drei Jahre am Geburtstag von Ignatz Bubis, am 12. Januar, in Form eines Geldpreises in Höhe von 50 000 Euro verliehen. Der Preis kann geteilt werden.
3. Über die Verleihung des Ignatz-Bubis-Preises für Verständigung entscheidet auf Vorschlag der Jury der Magistrat.
4. Die Jury setzt sich zusammen aus:
   a. der Oberbürgermeisterin/dem Oberbürgermeister als Vorsitzende/Vorsitzendem
   b. der Bürgermeisterin/dem Bürgermeister
   c. der Vorsteherin/dem Vorsteher der Stadtverordnetenversammlung
   d. der/dem Vorsitzenden der Jüdischen Gemeinde und einem weiteren von der Jüdischen Gemeinde zu benennenden Mitglied
   e. der Ehefrau des Namensgebers oder einer/einem Verwandten in direkter Linie
   f. zwei weitere vom Magistrat zu benennende Persönlichkeiten

Am 12. Januar 2001 wurde in der Paulskirche von Oberbürgermeisterin Petra Roth erstmals der Bubis-Preis verliehen. Die bisherigen Preisträger sind:

2001 Dr. Wolfgang Thierse, Präsident des Deutschen Bundestages
2004 Prof. Dr. Franz Kamphaus, Bischof von Limburg

Frankfurts Nobelpreisträger

Im Gegensatz zu Deutschlands siegenden Fußballherren, die, wie man hört, nicht alle der deutschen Sprache mächtig sein sollen, erhalten Frankfurts Nobelpreisträger keinen großen Bahnhof, wenn sie nach dem festlichen Empfang beim schwedischen König hier der Frankfurter Alltag empfängt. Kein Empfang im Römer mit jubelnden Massen unter dem Balkon, von dessen Höhe die Kicker ihren Fans zuwinken. Nobelpreisträger haben keine Fans, auch nicht im Römer. Aber dafür haben sie eines mit den Fußballprofis gemeinsam: Sie sind wie diese jetzt Millionäre.

Der Nobelpreis gilt als die höchste Ehrung der Welt, von den 22 mit Frankfurt verbundenen hochgeehrten Forschern und Wissenschaftlern erhielten nur drei eine städtische Ehrung: die Goethe-Plakette.

Die meisten der folgenden 22 Nobelpreisträger haben an der Goethe-Universität entweder studiert oder als Assistenten, Dozenten oder wie Max Born und Max von Laue als Professoren an der Frankfurter Alma mater gelehrt oder geforscht. Andere wie Paul Ehrlich haben ein wissenschaftliches Institut geleitet. Die späteren Nobelpreisträger Elias Canetti und Otto Hahn haben jeweils vier beziehungsweise sieben Jahre lang Schulbänke in Frankfurter Gymnasien gedrückt oder wie Rudolf Eucken an einem Frankfurter Gymnasium Unterricht erteilt.

Die Erstellung der Namensliste verdanke ich dem Präsidenten der Goethe-Universität Rudolf Steinberg und dem ehemaligen Sekretär des Nobel-Komitees und heutigem Direktor des Nobel-Museums in Stockholm, Anders Barany. Dessen Vater Robert, der in Frankfurt studierte, hatte den Nobelpreis für Medizin schon im Jahre 1914 erhalten. Es fällt auf, daß der spezifische Fächerkanon relativ eng auf die Naturwissenschaften und die Medizin beschränkt ist.

Die hochrangige Liste des Nobelpreisträger folgt ebenso wie die beiden Register der Ehren-Plaketten- und der Goethe-Plaketten-Träger keinem anderen Primat als dem der Chronologie:

1901	Emil Behring, Medizin
1908	Paul Ehrlich, Physiologie/Medizin,
	Rudolf Eucken, Literatur
1914	Robert Barany, Physik/Medizin
	Max von Laue, Physik
1925	James Franck, Physik
1936	Otto Loewi, Physik/Medizin
	Henry Dale, Physik/Medizin
1937	Paul Karrer, Chemie
1943	Otto Stern, Physik
1944	Otto Hahn, Chemie
1954	Max Born, Physik
1957	Alexander Todd, Chemie
1962	Karl Ziegler, Chemie
1967	Hans Bethe, Physik
1970	Ulf von Euler, Physik/Medizin
1981	Elias Canetti, Literatur
1984	Nils K. Jerne, Physiologie/Medizin
1986	Gerd Binning, Physik
1988	Hartmut Michel, Chemie
1994	Reinhard Selten, Wirtschaftswissenschaften
1995	Christiane Nüsslein-Volhard, Molekularbiologie
1998	Horst L. Störmer, Physik
1999	Günter Blobel, Physiologie/Medizin

Literaturverzeichnis

In der Reihenfolge des Erscheinungsjahres

Goethe, Johann Wolfgang von: Aus meinem Leben. Dichtung und Wahrheit, 1811–1814

Kriegk, Georg Ludwig: Deutsches Bürgerthum im Mittelalter, Rütten & Loening, 1868

Jung, Rudolf: Archiv für Frankfurts Geschichte und Kunst, 3. Folge, 1891

Schmidt, Paul Ferdinand: Stätten der Kultur, Bd. 2, Frankfurt a. M., Verlag Klinkhardt & Biermann, Leipzig 1910

Voelker, H.: Geschichte der Familie Metzler 1674 bis 1924, Englert und Schlosser, Frankfurt 1924

Volksstimme Frankfurt, Nr. 185 vom 11. August 1930

Städtisches Anzeigenblatt, Nr. 46/1933

Bismarck, Otto von: Im Kampf um das Reich, Reclam Leipzig, 1941

Achterberg, Erich Georg Ludwig: Frankfurter Bankherren, Fritz-Knapp-Verlag, Frankfurt 1956

Kramer, Waldemar: Frankfurt Lexikon, Verlag Waldemar Kramer, Frankfurt 1960

Swiridoff, Paul: Porträts der deutschen Wirtschaft, Neske-Verlag, Pfullingen 1966

Kirchholtes, Hans-Dieter: Jüdische Privatbanken in Frankfurt am Main, Verlag Waldemar Kramer, Frankfurt 1969

Grosser, Alfred: Wirtschaft, Gesellschaft, Geschichte, J. B. Metzlersche Verlagsbuchhandlung, 1974

Reifenberg, Benno: Das Einzigartige von Frankfurt, Verlag Waldemar Kramer, Frankfurt 1979

Helmensdorfer, Erich: Frankfurt – Metropole am Main, Econ-Verlag, Düsseldorf 1982

Jammer, Christoph (Hrsg.): Frankfurt aber ist der Nabel dieser Erde, Klett-Cotta, Stuttgart 1983

Eschenburg, Theodor: Bürgersinn, FAZ, Nr. 24 vom 28. Januar 1984

Reich-Ranicki, Marcel: Lauter Lobreden, DVA, Stuttgart 1985

Schembs, Hans-Otto: In dankbarer Anerkennung, Verlag Josef Knecht, Frankfurt 1987
Leweke, Wendelin: Berühmte Frankfurter, Societäts-Verlag, Frankfurt 1988
Hoffmann, Hilmar: Frankfurter Museumsführer, S. Fischer Verlag, Frankfurt 1990
Geis, Imanuel: Geschichte griffbereit: Personen, Harenberg-Verlag, Dortmund 1993
Hoffmann, Hilmar: Goethe braucht kein Denkmal. In: Markus Häusel-Hohenlohe (Hg.): Im Namen Goethes, 1998
Holtberich, Carl-Ludwig: Finanzplatz Frankfurt, Verlag C. H. Beck, München 1999
Pohl, Kitti: Die traurigste Liebesgeschichte Frankfurts, Bildzeitung, 22. Juni 2002
Heldmann, Werner: Musisches Gymnasium Frankfurts, Peter Lang Verlag, Frankfurt 2003
Reschke, Hans Hermann: Rede im Römer anläßlich des 325. Firmenjubiläums des Bankhauses Metzler am 24. 9. 1999
Hoffmann, Hilmar: Erinnerungen, Suhrkamp Taschenbuchverlag, Frankfurt 2003
Ders.: Der Ehrenbürger. Aus dem Leben des Mäzens Bruno H. Schubert. Societäts-Verlag, Frankfurt 2003
Unseld, Siegfried: Zum Gedenken, Suhrkamp Verlag, Frankfurt 2003
Schütte, Wolfram (Hg.): Adorno in Frankfurt, Suhrkamp Verlag, Frankfurt 2003
Riebsamen, Hans: Schmiergeld für Metternichs Diplomaten, FAZ Nr. 214 vom September 2004
Dumas, Alexandre: Der Schleier im Main, Societäts-Verlag, Frankfurt 2004
Crüwell, Konstanze: Rote Pracht über schwarzen Bäumen, FAZ vom 11. Oktober 2004

*

Sammlung „S“ des Frankfurter Stadtarchivs und deren Adreßbücher
Diverse „Mitteilungen der Stadtverwaltung Frankfurt am Main“
Diverse Auskünfte des Instituts für Stadtgeschichte (Direktion Evelyn Brockhoff) und allzeit unbürokratische Akteneinsicht

Personenregister

Die Namen von Trägern der Goethe- und Ehren-Plakette, des Goethe-, Theodor-W.-Adorno-, Max-Beckmann- und Ignatz-Bubis-Preises sowie der Nobelpreisträger sind hier nicht noch einmal aufgelistet worden.

T

Nachtrag zur 2. Auflage:

Bildnachweis

Bilder wurden zur Verfügung gestellt von

Stadtarchiv Frankfurt am Main

Institut für Stadtgeschichte Frankfurt

Privatarchiv Bruno H. Schubert

Helga Loew

Hilmar Hoffmann

Christian Globisz

Historisches Museum, Frankfurt am Main

Deutsche Presse-Agentur

T. u. R. Dambrowski

Dieter Klar

Bankhaus Metzler